Este libro pertenece a

_____

... una joven
que vive para Dios.

Guía
de una
Joven
para las
buenas
decisiones

Elizabeth George

Publicado por
Editorial Unilit
Miami, FL 33172
Derechos reservados

© 2010 Editorial Unilit (Spanish translation)
Primera edición 2010

© 2009 por Elizabeth George
Originalmente publicado en inglés con el título:
A Young Woman's Guide to Making Right Choices por Elizabeth George.
Publicado por Harvest House Publishers
Eugene, Oregon 97402
www.harvesthousepublishers.com

Traducción: Gabriela De Francesco de Colacilli
Fotografía de la portada: © 2010 Subbotina Anna. Usada con la autorización de
Shutterstock.com. © 2010 Aldo Murillo. Usada con la autorización de iStockphoto.com.

Producto 495720
ISBN 0-7899-1761-0 • ISBN 978-0-7899-1761-4

Impreso en Colombia
Printed in Colombia

Categoría: Jóvenes / Vida cristiana
Category: Youth / Christian Living

Contenido

La toma de buenas decisiones

Elijan ustedes mismos a
quiénes van a servir.

Josué 24:15

Ana se despertó sobresaltada con el ruido de cubos de basura que alguien arrastraba hacia la acera. Al principio, se enojó porque hacían ruido mientras intentaba dormir... hasta que se levantó y miró por la ventana. Después de un momento, se dio cuenta de que su papá realizaba una de las tareas que le correspondían a ella antes de ir a la escuela.

«¿Qué hora es?», refunfuñó Ana. Miró el reloj despertador. «¡Ay, no, llego tarde... muy tarde!»

Tal vez fuera tarde porque ya había presionado el botón de repetición varias veces. Tenía planeado levantarse temprano para terminar su trabajo de inglés que debía entregar hoy. Además, había muchas otras cosas por hacer. Su plan era hacerlas anoche: elegir la ropa para ir a la escuela, hacer el trabajo de historia, adelantar la lectura bíblica para el grupo de jóvenes, escribirle una nota de agradecimiento a su abuela por el dinero que le envió en su cumpleaños. Su lista de «cosas que me propongo hacer» era interminable.

PECADO

PEREZA

LIMITA

Sí, Ana se había desviado de su propósito la noche anterior. ¿Y por qué no? Su mejor amiga la llamó para contarle sobre sus nuevos vecinos.

«¡Y adivina qué! Uno de los integrantes de la familia es un chico súper atractivo que irá a la escuela con nosotras», le dijo María.

Ana sabía que al día siguiente hablaría con su amiga en la escuela. Se volverían a ver. Después de todo, ¿acaso no tenían cuatro clases juntas? Sin embargo, una cosa llevó a otra, y antes de darse cuenta, había pasado tanto tiempo (una hora más de su horario permitido), que su mamá la interrumpió con brusquedad y la obligó a terminar la llamada y apagar la luz.

La vida está llena de decisiones

Ana tenía la mejor intención del mundo de tomar buenas decisiones sobre la manera de pasar la tarde, ¿cierto? No obstante, alguien o algo la desviaron de su plan. Al final (a la mañana siguiente, en realidad), sufrió las consecuencias de sus malas decisiones de la noche anterior.

La vida está llena de decisiones. Y lo curioso es que una misma decisión puede ser mala para una chica, pero puede estar bien para otra. Por ejemplo, el cereal para el desayuno. La amiga de Ana (que es una talla 2) puede comer cualquier clase de cereal con toda la leche y el azúcar que quiera. Sin embargo, Ana, que tiene tendencia a engordar y quiere bajar una o dos tallas de pantalón, tiene que tomar otra decisión para lograr su objetivo.

Las decisiones a través del espejo retrovisor

Es probable que fueras a algún campamento, retiro o reunión de jóvenes donde hubo un «tiempo para chicas», un tiempo en el que las muchachas que tenían la valentía o la tristeza suficientes hablaban de las decisiones no tan buenas que habían tomado. Es como si miraran su pasado por el espejo retrovisor. (Si conduces, sabes que debes mirar por el espejo retrovisor para ver lo que viene detrás de ti, y si no conduces, ¡algún día lo harás!). Gracias a Dios, las chicas que hablaban en esas reuniones ahora tomaban mejores... adecuadas... decisiones. Aun así, todavía veían, recordaban y sentían las consecuencias de sus acciones. A veces, dicen cosas como estas...

* Me extravié del camino...

* Me transformé en una hija pródiga...

* Me alejé del Señor...

* Me entretuve con el pecado...

* Perdí el primer amor...

* Me aparté de la verdad...

* Tomé malas decisiones...

* Perdí los estribos...

* Me junté con la gente equivocada...

He estado en varias sesiones similares y no puedo evitar preguntarme: *¿Qué sucedió? ¿Cómo pudo alejarse del camino, perder el primer amor por Jesús, apartarse de la verdad, perder los estribos o juntarse con la gente equivocada? ¿Qué decisiones específicas tomó?*

Bueno, ya sabemos lo que sucedió, ¿no? De alguna manera, en algún momento, por alguna razón, se tomó una mala decisión. Quizá fuera una mentirita. Tal vez se debiera al desinterés por lo que está bien. Se torció un poco una regla. Luego, poco a poco, estas malas decisiones aisladas fueron cada vez más fáciles y frecuentes... Hasta que un día, la persona se da cuenta de que su vida es un desastre.

De la Palabra de Dios a tu corazón...

Una cosa es leer un libro escrito por un autor acerca de un determinado tema, pero es muy distinto leer el Libro, *La Biblia*, escrito por el Autor de todas las cosas, Dios mismo. Mientras exploramos la Palabra y los principios de Dios, también te daré reflexiones y consejos para ayudarte. Muchas son cosas que aprendí e intenté poner en práctica y, la mayoría, se las transmití a mis dos hijas en la crianza. Sin embargo, deberías tomar en serio y concentrar tu atención sobre todo en lo que Dios te dice en su Palabra y su Libro: la Biblia.

Cuando en cada capítulo llegues a la sección titulada «De la Palabra de Dios a tu corazón», encontrarás varios versículos bíblicos sobre el tema en cuestión. Saca tu lápiz o bolígrafo favorito y márcalos. No dudes en marcar ciertas palabras con un círculo o subrayar lo que te guste. Coloca un signo de interrogación junto a cualquier cosa que te resulte confusa o sobre lo que quieras saber más. También puedes dibujar en los márgenes. Hay un espacio para que anotes tus pensamientos sobre lo que Dios te habla al corazón. Haz lo que te resulte útil con los versículos para comprenderlos y apropiártelos. (Y, por supuesto, ¡sería bueno que los buscaras en tu Biblia personal!).

Los israelitas tomaron una decisión. Hace mucho tiempo, en la época bíblica, Josué, el líder del pueblo de Dios, les pidió que hicieran lo que hemos estado hablando: que tomaran una decisión. Escucha lo que le dijo Josué al pueblo acerca de elegir entre servir a Dios y a dioses falsos. ¿Qué hicieron? Gracias a Dios, ¡tomaron la decisión adecuada! Decidieron servir a Dios:

*Entréguense al Señor y sírvanle fielmente [...] elijan
ustedes mismos a quiénes van a servir [...] Por mi parte,
mi familia y yo serviremos al Señor* (Josué 24:14-15).

¿Cómo te ayudan estos versículos con las decisiones que
debes tomar hoy?

*Me ayudan a entender q' todos
hasta los tiempos biblicos
Tenjan tiempos de dificulta no estoy
sola*

Lot tomó una decisión. Lot era el sobrino de Abraham. Debido a la cantidad de ganado que tenían, Abraham le pidió a Lot que eligiera entre dos partes de la tierra. Una parte era perfecta para pastorear el ganado. La otra era una tierra seca, montañosa e imperfecta. ¿Qué decidió Lot? Es triste, pero su decisión no fue sabia. Eligió los prados verdes y cubiertos de hierba que estaban cerca de las dos ciudades más decadentes de la época: Sodoma y Gomorra. Decidió según las apariencias y él y su familia tuvieron que afrontar las malas consecuencias (¡devastadoras!).

*Lot levantó la vista y observó que todo el valle del Jordán, hasta Zoar, era tierra de regadío [...] Entonces
Lot escogió para sí todo el valle del Jordán, y partió
hacia el oriente* (Génesis 13:10-11).

¿Cómo te ayudan estos versículos con las decisiones que debes tomar hoy?

*Me ayudan a entender que
asi sea buena o mala mi
familia tambien sufre las
consecuencias*

José tomó una decisión. Los hermanos celosos de José lo vendieron como esclavo a Egipto. Allí, en una tierra desconocida, fue un adolescente sin familia. Con el tiempo, la esposa de su amo coqueteó con él y quiso que se acostara con ella. Sin duda, pensó que como no había nadie cerca, no importaba. ¿Quién se enteraría?

¿Qué debería hacer José? ¿Qué *hizo*? ¡Decidió vivir como quería Dios! José honró al Señor y huyó de la mujer inmoral. Dios honró su decisión y lo puso como líder de la tierra de Egipto y como salvador de su familia.

> *Pero José no quiso saber nada, sino que le contestó:* [...]
> *¿Cómo podría yo cometer tal maldad y pecar así contra Dios?* (Génesis 39:8-9).

¿Cómo te ayudan estos versículos con las decisiones que debes tomar hoy?

Me ayudan a no tomar la primera desición sino q' paro Y Pienso.

Daniel tomó una decisión. ¿Imaginas lo que sería que te llevaran prisionera a una tierra extranjera en la adolescencia y te forzaran a vivir según las normas del lugar y abandonar tus creencias religiosas? Bueno, ¡eso le sucedió a Daniel! En la tierra de su cautiverio, debía comer alimentos prohibidos por su trasfondo judío. ¡Qué presión! ¿Qué hizo? *Decidió* vivir como quería Dios, no solo en esta ocasión, sino muchas veces a lo largo de su vida. Y cada momento, todos los días, Dios bendijo a Daniel. Lo ascendieron a altas posiciones de liderazgo.

> *Daniel se propuso no contaminarse con la comida y el vino del rey, así que le pidió al jefe de oficiales que no lo obligara a contaminarse* (Daniel 1:8).

¿Cómo podrías usar este versículo en tu vida?

Lo Voy a Usar siendo muy radical;

Algo para recordar sobre las decisiones

- A veces, las decisiones atractivas conducen al pecado.
- Las buenas decisiones tienen resultados positivos a largo plazo.
- A veces es difícil tomar buenas decisiones[1].

La respuesta de tu corazón

Estoy segura que sabes que tus acciones dependen de las decisiones. Sí, algunas decisiones las toman por ti. No tienes el control y las toman personas que tienen la responsabilidad de ti... tales como tus padres, tus maestros y tus líderes de jóvenes. Sin embargo, muchas decisiones de cada día y a casi cada minuto del día las tienes que tomar tú. Y esas decisiones son un asunto de tu voluntad. Puedes decidir lo que harás o lo que no harás, y cómo te comportarás. Tú decides y no puedes culpar a nadie más por lo que sucede a continuación.

Me gustó leer el diario de una adolescente que transformaron en libro. Lee lo que sintió cuando se dio cuenta de que necesitaba tomar mejores decisiones:

> *29 de julio*: Ya es hora de detenerme y pensar. Es como si hubiera estado corriendo una carrera y ahora parara a respirar. No me gusta cómo han salido las cosas últimamente. Me siento inquieta e incómoda[2].

¿Dónde está tu corazón hoy? ¿Qué sucede en tu vida día tras día? ¿Estás confundida, insatisfecha, frustrada o «inquieta e incómoda» como esta jovencita? ¿Se debe a las decisiones que has tomado últimamente? Por favor, haz lo mismo que hizo Elizabeth Prentiss... haz un alto. Evalúa. Realiza cambios. Y comienza a tomar buenas decisiones.

Lo que hay que hacer hoy para tomar buenas decisiones

* Vuelve a leer la sección titulada «Las decisiones a través del espejo retrovisor». ¿Acaso alguno de los comentarios mencionados en el «tiempo para chicas» corresponde con tu vida hoy? Si es así, habla con Dios. Admite cualquier decisión equivocada y pídele su sabiduría para tomar las decisiones adecuadas a partir de ahora.

* Vuelve a leer Josué 24:14-15. Al mirar tu vida hoy, ¿crees que estás tomando la misma decisión que Josué y su pueblo de servir a Dios y solo a Él? Sí o no, ¿por qué? ¿Cuál será tu primera decisión apropiada de modo que te dediques a vivir a la manera de Dios?

* Las elecciones dependen de tu voluntad. *Tú* decides lo que harás o lo que no harás, y cómo te comportarás.
  — ¿Cuáles son tus luchas y tus pruebas que necesitan mejores decisiones de tu parte?

Las chicas que ayudan a las chicas

* Anota tres cosas que Ana no hizo y que llevaron su día por un camino caótico.

- se dejo llevar por lo que se le presento y no penso en los resultados.

* ¿Qué le dirías que hiciera de otra manera para comenzar mejor el día?

Tomando prioridades

❋ De los versículos de este capítulo, ¿cuál significó más para ti y por qué? ¿Cómo se lo comentarías a Ana?

Genesis 13; 10-11 (pagan Inocentes)

❋ ¿En qué te pareces a Ana? ¿Hay alguna decisión nueva que debes comenzar a tomar? ¿Cuál? ¿Qué harás primero?

- Actuar y no pensar
- No

¿Quieres saber más?
¡Averígualo!

✔ Lee Proverbios 1:10-19. ¿Qué advertencia se le da al joven en el versículo 10?

que hay personas y situaciones que traen engaño

¿Qué consejo se le da en el versículo 15?

q' son torcidos

¿Cómo terminan los que deciden participar en las malas obras (versículo 19)?

en muerte

✔ Analiza más de cerca la decisión de Lot al leer Génesis 13:5-11. ¿Cómo se describe la situación que hizo necesaria una decisión (versículos 5-7)?

habia un conflicto ente hermanos

✔ ¿Qué propuso Abraham como solución (versículos 8-9)?

apartarse - Alejarse.

¿Qué decidió Lot y por qué (versículos 10-11)?

Ahora, échale un vistazo a Génesis 19:12-29. ¿Cuáles fueron algunos de los resultados de la decisión de Lot?

Resultados Dolorosos.

✔ ¿Qué decisión tomó alguien en Mateo 4:18-20?

Decidieron segir a Jesus al instante.

¿Y en Mateo 9:9?

Le siguio Inmediatamente

¿Has tomado esta decisión?

Si.

Las pautas de Dios para la toma de buenas decisiones

✳ *Dale importancia a cada día.* «Enséñanos a contar bien nuestros días, para que nuestro corazón adquiera sabiduría» (Salmo 90:12).

✳ *Admite tu necesidad de sabiduría... ¡y búscala!* «Si a alguno de ustedes le falta sabiduría, pídasela a Dios, y él se la dará» (Santiago 1:5).

✳ *Esfuérzate por desarrollar un profundo respeto hacia Dios.* «El comienzo de la sabiduría es el temor del SEÑOR; conocer al Santo es tener discernimiento» (Proverbios 9:10).

✳ *Asegúrate de tener una relación vital con Jesucristo.* «Pido que el Dios de nuestro Señor Jesucristo, el Padre glorioso, les dé el Espíritu de sabiduría y de revelación, para que lo conozcan mejor» (Efesios 1:17).

✳ *Prepárate para pagar la verdad a cualquier precio.* «Adquiere la verdad y la sabiduría, la disciplina y el discernimiento, ¡y no los vendas!» (Proverbios 23:23).

¡Tienes que levantarte!

Perezoso, ¿cuánto tiempo más seguirás acostado?
¿Cuándo despertarás de tu sueño?

PROVERBIOS 6:9

¿Recuerdas dónde dejamos a Ana en el capítulo anterior? ¡En la cama! ¿Imaginas la escena... y el sonido? Ana estaba profundamente dormida. Dormía como un tronco. Y de repente, hay un barullo terrible. Después de un rato, Ana se da cuenta qué era ese estruendo metálico o de dónde venía. Al despertarse, se estremece y piensa: *¡Ay, no! Es el reloj despertador... ¿ya?* Y da un paso más. *¡Ay, no! ¡Otro día más! ¡Huy!*

La pobre Ana está muy cansada. (Recuerda, se quedó despierta hablando con María por teléfono). *¿Quizá unos minutos más?*, piensa mientras se da vuelta y presiona el botón de repetición del despertador.

¿Qué vas a hacer?

¿Estás buscando una vida buena o mejor, una que sea menos agotadora y más satisfactoria? Entonces, hay una decisión *muy sencilla* pero *muy difícil* que puedes tomar todos los días para lograrlo. En realidad, es la *primera* decisión que debes tomar cada día, por más que no te des cuenta: ¿Te levantarás a tiempo... o no? Cada mañana, cuando tu sueño se termina de repente como el de Ana... allí es donde quizá tomes *la decisión más importante* del día. Funciona así: Si te levantas, tienes control sobre ti misma y sobre tu día. (Bueno, al menos, controlas el comienzo. Debemos dejar lugar para el plan de Dios, para interrupciones y crisis). ¿Por qué puedo decir esto sobre la decisión de levantarse? Porque desde el primer minuto, *tú* tienes la última palabra. Estás en el asiento del conductor.

A medida que recorramos este libro sobre tu vida y tus elecciones, verás cómo esta decisión dirige o afecta el resto del día. Verás cómo la primera decisión afecta la segunda... y la tercera... y la cuarta... Cuando era chica, muchos de mis tíos jugaban al dominó. En este juego, la cantidad de puntos del extremo de una ficha debe corresponder con los puntos de otra ficha. Cuando los adultos descansaban, mis primos y yo jugábamos. No sabíamos cómo jugar, así que colocábamos todas las piezas paradas sobre un extremo en línea, una detrás de la otra. Si a uno le fallaba el pulso o alguien movía la mesa, todas las piezas se caían, cada una tumbaba a la que tenía detrás. A esto se le llama «el efecto dominó».

Detesto decirlo, pero cuando no te levantas cuando debes, a fin de poder hacerlo todo «con orden» (1 Corintios 14:40), el efecto dominó entra en acción. *Todo* se afecta. Es increíble cómo esa primera decisión influye en casi cada uno de los aspectos del día.

Los grandes resultados comienzan con pequeños pasos

Me gusta hacer las cosas con pequeños pasos. Es más fácil de esa manera y es más factible tener éxito y lograr un cambio.

Así que en lugar de decir: «Voy a levantarme temprano y a tiempo todos los días durante el resto de mi vida», me propongo levantarme a tiempo solo un día. Verás, lo que has hecho hasta hoy es lo que te define. Y lo que haces hoy determinará quién serás en el futuro... si nada cambia. Cada acción que repites (buena o mala) crea tu verdadera identidad. Cada decisión que se repite en el tiempo (buena o mala) se transforma en un hábito. Y estoy segura de que tu objetivo (al igual que el mío) es tomar buenas decisiones una y otra vez hasta que se establezcan hábitos buenos y piadosos.

No solo me refiero a la vida cotidiana. ¡La vida es mucho más que eso! Por ejemplo, ¿qué me dices de tus sueños? ¿Qué quieres ser? ¿Qué quieres hacer? ¿En qué clase de persona quieres transformarte? ¿Por qué no anotas algunas de estas cosas?

Bueno, como decían en el Lejano Oeste: «¡El día arde!». Cuando te levantas por la mañana, aprovechas la oportunidad de hacer realidad tus sueños. Te dedicas a transformarte en la persona única que Dios creó y a hacer las cosas maravillosas que tiene planeadas para ti. Tienes todo el día para tomar buenas decisiones que te lleven hacia algo emocionante, excelente, magnífico y excepcional, algo de lo que te puedas enorgullecer como cristiana al finalizar el día.

¿Y cuando no te levantas? Bueno, ¡ya lo sabes! Pierdes muchas oportunidades... Y a menudo pagas un precio... para realizar tus sueños o acercarte a tu objetivo. Me gusta esta reflexión de una revista para adolescentes: «Nunca dormir de más hace que los sueños se vuelvan realidad»[1]. Y cuando te levantas tarde y debes apurarte, te estresas y tu actitud positiva para el día se vuelve amargada y atribulada. Así que levantarte es la primera decisión que tomas cada día. ¡Es una súper decisión!

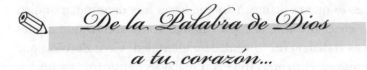

De la Palabra de Dios

a tu corazón...

Al leer los siguientes versículos, recuerda que un «perezoso» es alguien que tiene el mal hábito de ser holgazán, lento u ocioso. Detesta levantarse y trabajar. Si alguna vez viste al animal de este nombre, sabes a qué me refiero. Miremos más de cerca a los «perezosos», a fin de identificarlos bien. Mientras lees, anota tus reflexiones sobre los pasajes y cómo se aplican estos principios a tu vida.

> *Sobre sus goznes gira la puerta; sobre la cama, el perezoso* (Proverbios 26:14).

> *Perezoso, ¿cuánto tiempo más seguirás acostado? ¿Cuándo despertarás de tu sueño? Un corto sueño, una breve siesta, un pequeño descanso, cruzado de brazos... ¡y te asaltará la pobreza [la ruina] como un bandido!* (Proverbios 6:9-11).

Los perezosos...

... no comenzarán las cosas.

... no terminarán las cosas.

... no enfrentarán las cosas[2].

Conoce a algunas personas que se levantaron a tiempo... ¡o más temprano!

En esta sección, siéntete en libertad de marcar e interactuar con los versículos. Estas personas tienen un mensaje importante para ti y para mí.

Jesús. El Hijo de Dios y nuestro Salvador, se levantaba temprano. ¿Qué hacía cuando se despertaba?

> *Muy de madrugada, cuando todavía estaba oscuro, Jesús se levantó, salió de la casa y se fue a un lugar solitario, donde se puso a orar* (Marcos 1:35).

Jesús hablaba con su Padre celestial muy temprano por la mañana. Oraba a Dios. Recibía su fortaleza diaria para hacer la voluntad del Señor un día más. Tenía las armas espirituales para enfrentar la tentación y lidiar con ella, en especial la de escapar de la cruz.

La mujer de Proverbios 31. Es la imagen de la mujer ideal para Dios. Proverbios 31:10-31 es un poema hebreo, y cada versículo subraya un rasgo de carácter. ¿Adivina qué rasgo se encuentra en el versículo 15?

> *Se levanta de madrugada, da de comer a su familia y asigna tareas a sus criadas.*

Esta mujer era esposa y madre. Para cumplir con una de las prioridades divinas para su vida, ocuparse de su familia, tenía que poner el despertador (por así decirlo... me pregunto qué usaría la gente en esa época) y levantarse para comenzar temprano. La vida a la manera de Dios era lo suficientemente importante como para arrancar el día.

Las mujeres del sepulcro. ¡Vaya! Este grupo de mujeres es un gran ejemplo. Amaban a Jesús. Y cuando murió en la cruz, estuvieron a su lado hasta el final. Luego, siguieron a los que llevaban el cuerpo del Salvador para ver dónde lo ponían. Después, volvieron a su casa y prepararon especias para el cuerpo de Jesús, de modo que se pudiera enterrar de manera adecuada. ¿Y qué hicieron?

Muy de mañana, las mujeres fueron al sepulcro, llevando las especias aromáticas que habían preparado (Lucas 24:1).

¿Crees que estaban cansadas? ¿Crees que fue horrible mirar cómo Jesús sufría de forma brutal y agonizaba en la cruz? Sin embargo, estas mujeres siguieron adelante con su misión: ocuparse del cuerpo de Jesús y de su entierro. ¿Y si hubieran presionado el botón de repetición de sus despertadores y hubieran vuelto a dormir esa mañana tan importante cuando debían ministrar al cuerpo del Señor? (Bueno, no tenían relojes despertadores como nosotras, pero ya entiendes a qué me refiero). ¿Qué habría sucedido si se hubieran quedado durmiendo? ¿Y si hubieran dado excusas para no ir?

Las adolescentes que se levantan

Me inspira leer acerca de adolescentes que tienen una pasión tan seria e intensa por algo, que las saca de la cama. Por ejemplo (¡y aquí se hacen presentes tus sueños!):

La hija de mi amiga tenía un caballo. Era su mejor amigo. Ni siquiera tenía que poner el reloj despertador en la noche, porque no veía la hora de levantarse para darle de comer a su caballo y cepillarlo antes de ir a la escuela. ¿A qué hora se levantaba? A las cinco de la mañana.

Mi sobrina estaba en un equipo de patinaje sobre hielo. Le encantaba patinar. Es más, dormía con los patines en la cama. ¿Adivina a qué hora debía estar en la pista? A las cinco de la mañana. Y tenía que levantarse más temprano para prepararse y llegar a tiempo.

Mientras escribo este libro, estamos en plena época de los juegos Olímpicos. Seguro que has visto la competencia de gimnasia. Esas chicas de nivel olímpico, la mayoría, adolescentes, son las mejores del mundo. ¿Cómo lo lograron? Mediante entrenamiento. Mediante práctica. Siguiendo instrucciones. Y levantándose temprano para entrenar... además de ir a la escuela y hacer sus deberes. Cada una de estas adolescentes iba en pos de un sueño lo bastante poderoso como para sacarlas de la cama cada día y hacer lo necesario para seguir (¡y cumplir!) su sueño.

Las personas salen de la cama por distintas razones. Para reunirse con un grupo de oración o juntarse a orar en el mástil de la bandera de la escuela. Para hacer un estudio bíblico del grupo de jóvenes. Para juntarse a estudiar con otros en la escuela. Para repasar la materia de un examen una vez más antes de la prueba. Para hacer un deporte.

¿Qué te apasiona? ¿Qué es lo que más te gusta hacer? ¿Qué te encanta hacer pero nunca tienes tiempo suficiente? Dedica un momento para anotar algunas respuestas.

«El viaje más largo es el que comienza con el primer paso». Este conocido dicho tiene un gran significado. Por ejemplo, tienes sueños y responsabilidades que forman tu vida. Así que para comenzar tu travesía de seguir y cumplir tus sueños y ocuparte de tus responsabilidades, es necesario un solo paso: levantarte mañana.

1. *¿Qué quieres hacer mañana?* Esta pregunta está relacionada con tus objetivos y tus sueños. En mi caso, quiero comprar un regalo de cumpleaños para una amiga especial. Mi nieta quiere tener tiempo para dibujar en su bloc de arte. Otra chica que conozco quiere practicar manejo con su papá antes de que se vaya a trabajar, a fin de estar mejor preparada para aprobar el examen de conducción. ¿Qué me dices de ti? ¿Qué deseas lograr mañana? Anótalo y observa por qué es importante para ti.

2. *¿Qué tienes que hacer mañana?* ¿Cuáles son tus responsabilidades? ¿La tarea escolar? ¿El trabajo? ¿Los quehaceres domésticos? ¿Cuidar a tu hermanito? ¿Qué hay en tu lista de cosas para hacer? ¿Debes terminar tu trabajo para el trimestre? ¿Tienes que sacar la basura? ¿Vaciar el lavaplatos? ¿Debes darle de comer al perro de los vecinos mientras están de vacaciones? Intenta crear una lista. Tal vez debas hacer dos columnas. Advertencia: ¡Esta lista puede volverse muy larga!

La respuesta de tu corazón

He aquí un desafío que conmovió mi corazón de verdad. ¡Espero, y oro, que conmueva el tuyo también! Es del libro *No desperdicie su vida*:

La mayoría de las personas simplemente pasan por la vida sin pasión por Dios, gastan su vida en diversiones triviales, viven para la comodidad y el placer [...] No quede atrapado en una vida sin sentido [...] aprenda a vivir para Cristo, y ¡no desperdicie su vida![3]

La vida es un regalo precioso de Dios. Además de la vida que te ha dado, tiene planes y propósitos increíbles para ti. Nada podría ser peor que una vida sin sentido. Tienes muchas oportunidades para vivir con pasión, lograr un cambio, aportar para los demás y darle honor y gloria a Dios. ¿Por qué no comienzas hoy?

Lo que hay que hacer hoy para tomar buenas decisiones

Al pensar en vivir a la manera de Dios, deja que las siguientes decisiones preparen el camino para un futuro mejor. Te ayudará a mantenerte firme en tu primer paso hacia una vida superior: salir de la cama.

Primer paso: *Decide a qué hora quisieras levantarte.*

Segundo paso: *Establece cuándo debes levantarte para que tu día marche como quieres.*

Tercer paso: *Programa el despertador.. uno bien fuerte... ¡uno molesto!*

Cuarto paso:	*Acuéstate a la hora debida* para obtener el descanso que necesitas antes de levantarte.
Quinto paso:	*Ora.* Pídele ayuda a Dios para levantarte. Dile por qué es importante levantarte a tiempo. Repasa con Él tus planes, propósitos, compromisos y sueños para mañana. ¡A Él le importa!
Sexto paso:	*Proponte levantarte...* sin importar lo que suceda. No cedas ni te preocupes por no dormir lo suficiente. Es solo una mañana.
Séptimo paso:	*Alaba a Dios cuando oigas el despertador.* Cuando amanecía, el salmista clamaba: «Este es el día en que el SEÑOR actuó; regocijémonos y alegrémonos en él» (Salmo 118:24).

Las chicas que ayudan a las chicas

❋ ¿Qué pasos pequeños podría dar Ana para comenzar mejor su día?

✳ ¿Cómo crees que la actitud negativa de Ana afecta su día?

✳ De los pasajes que compartimos en este capítulo, ¿cuál significó más para ti y por qué? ¿Cómo lo compartirías con Ana?

✳ ¿En qué te pareces a Ana? ¿Qué necesitas para abordar mejor el día?

¿Quieres saber más?
¡Averígualo!

✔ Lee Proverbios 6:6-8. ¿Qué aprendes de la pequeña hormiga que puedas recordar y copiar?

Versículo 7:

Versículo 8:

Si el perezoso sigue las instrucciones del versículo 6, ¿qué sucederá?

✔ Lee estos proverbios y anota los resultados de la pereza.

Proverbios 12:27:

Proverbios 26:15:

✔ En Proverbios 26:16, ¿qué más aprendes del perezoso?

✔ Lee estos proverbios que señalan varias excusas pobres del insensato perezoso. Además, anota en las consecuencias (o los posibles resultados) de sus excusas.

Proverbios 20:4:

Proverbios 26:13:

✔ ¿Qué aprendes del estilo de vida del perezoso en estos versículos?

Proverbios 13:4:

Proverbios 21:25-26:

✔ Por el contrario, según Proverbios 13:4, ¿cuál es la recompensa de un estilo de vida diligente?

Las pautas de Dios para la toma de buenas decisiones

❋ *Tu futuro comienza en cuanto te levantas.* «No te des al sueño, o te quedarás pobre; mantente despierto y tendrás pan de sobra» (Proverbios 20:13).

❋ *Levántate... ponte en marcha... sigue adelante.* «¡Anda, perezoso, fíjate en la hormiga! ¡Fíjate en lo que hace, y adquiere sabiduría!» (Proverbios 6:6). «Perezoso, ¿cuánto tiempo más seguirás acostado? ¿Cuándo despertarás de tu sueño?» (versículo 9).

❋ *Comprende el valor de cada día.* «Enséñanos a contar bien nuestros días, para que nuestro corazón adquiera sabiduría» (Salmo 90:12).

❋ *Ten un propósito para cada día.* «Oramos constantemente por ustedes, para que nuestro Dios los considere dignos del llamamiento que les ha hecho, y por su poder perfeccione toda disposición al bien y toda obra que realicen por la fe» (2 Tesalonicenses 1:11).

❋ *Toma a Jesús como modelo a seguir.* «Muy de madrugada, cuando todavía estaba oscuro, Jesús se levantó, salió de la casa y se fue a un lugar solitario, donde se puso a orar» (Marcos 1:35).

Sumérgete en la Palabra de Dios

La ley del Señor es perfecta: infunde nuevo aliento.
El mandato del Señor es digno de confianza: da
sabiduría al sencillo.

SALMO 19:7

Ana ya se le hizo tarde para prepararse para la escuela. Si recuerdas, cuando la dejamos ya había apretado el botón de repetición del despertador por tercera vez. Como siempre, la vida sigue adelante sin ella. En la casa, todos están levantados y hacen algo... excepto Ana.

Su madre entra sin llamar a su habitación, muy irritada. Le pregunta: «¿Por qué no estás levantada y vestida?».

¡Piensa rápido!, se dice Ana mientras se restriega los ojos para despertarse. Con una excusa en mente, espeta: «El reloj despertador debe andar mal. Lo activé [es cierto], pero no sonó [lo cual sabemos que no es cierto]. Mamá, necesito uno nuevo». Para desviarse del verdadero problema, Ana argumenta: «¿Por qué no me despertaste, mamá? ¡Sabes que tengo un día importante en la escuela!».

La mamá de Ana levanta las manos exasperada y se va.

¡Qué alivio! Estuvo cerca, decide Ana. Cuando sale de la cama, tambaleándose, ve la Biblia en su mesa de noche y el cuaderno de ejercicios que está realizando su grupo. *¡Ay, no! No terminé la lección para el estudio de esta noche.* Suspira. *Bueno, no hay problema. Ahora, tengo cosas más importantes en mente. Estoy retrasada para la escuela. Quizá pueda terminar la lección bíblica durante la clase de historia. El profesor Brown es muuuuy aburrido.*

Primero lo más importante

Espero que recuerdes la primera decisión, la cual te ayudará a empezar bien el día. Es la decisión de «levantarse a la hora que debes» a fin de hacer todo lo que quieres y lo que tienes que hacer.

La segunda decisión es pasar tiempo con Dios: tener un devocional con Él. Este paso *en verdad* definirá tu día... tu voz... tus palabras... tus acciones... tus actitudes... y tu manera de tratar a los demás: comenzando en casa. Así que una vez que te levantas, que Dios se transforme en tu prioridad. Decide poner primero lo que es más importante. Reúnete con Él *antes* de que empiece tu día.

A veces, creemos que no tenemos tiempo para detenernos y pasar tiempo con Dios. Tenemos personas que ver, lugares donde ir y cosas por hacer. Sin embargo, ¡qué equivocadas estamos! La Biblia es un libro especial. En realidad, es el libro más increíble que se escribiera jamás. Y si eres cristiana, el Espíritu de Dios, el Espíritu Santo, te habla cuando lees su Palabra. Por eso es tan importante dedicarle tiempo a la lectura de la Biblia. Cuando la leas, pensarás de modo diferente. Vivirás de otra manera. Crecerás en lo espiritual. Y serás bendecida. Vale la pena levantarse unos minutos antes para sumergirse en la Palabra de Dios y obtener estos beneficios.

De la Palabra de Dios

a tu corazón...

Cuando leas los siguientes pasajes, marca o anota lo que se dice sobre la Palabra de Dios y su función en tu vida.

✻ La Biblia te aleja de las malas conductas. «*En mi corazón atesoro tus dichos para no pecar contra ti*» (Salmo 119:11).

✻ La Biblia te guía por el buen camino. «*Tu palabra es una lámpara a mis pies; es una luz en mi sendero*» (Salmo 119:105).

✻ La Biblia te lleva a la verdad. «*Toda la Escritura es inspirada por Dios y útil para enseñar, para reprender, para corregir y para instruir en la justicia*» (2 Timoteo 3:16).

✻ La Biblia te prepara para servir a los demás. «*A fin de que [la sierva] de Dios esté enteramente [capacitada] para toda buena obra*» (2 Timoteo 3:17).

❋ La Biblia agudiza tu discernimiento y tu juicio. «*La palabra de Dios es viva y poderosa, y más cortante que cualquier espada de dos filos [...] juzga los pensamientos y las intenciones del corazón*» (Hebreos 4:12).

❋ La Biblia proporciona instrucciones para la vida eterna. «*Desde tu niñez [Timoteo] conoces las Sagradas Escrituras, que pueden darte la sabiduría necesaria para la salvación mediante la fe en Cristo Jesús*» (2 Timoteo 3:15).

Cosas que puedes hacer hoy para sumergirte en la Palabra de Dios

¡Vaya! ¿Comprendes por qué es tan importante decidir pasar tiempo con Dios y con su Palabra? Leer la Biblia y tener un devocional te ayuda a ser más semejante a Cristo. ¿Cómo? *¡Hace falta ayuda interna!* La Biblia te cambia el corazón.

Entonces, ¿qué puedes hacer para asegurarte de no perder el milagro del crecimiento espiritual diario? Aquí tienes algunos pasos que puedes dar para comenzar, o seguir adelante, para tener tiempo con tu Biblia. Cuando das estos pasos cada día, decides transformar tu tiempo con Dios en una prioridad... ¡en tu prioridad número uno!

Primer paso: *Lee la Palabra de Dios.* No importa por dónde comiences. La única manera errada de leer la Biblia es no leerla. Si no sabes por dónde comenzar, empieza por Mateo y lee los cuatro Evangelios (Mateo, Marcos, Lucas y Juan).

Segundo paso: *Estudia la Palabra de Dios.* Profundiza más en tu lectura bíblica. Si no sabes cómo, pide ayuda.

Tercer paso: *Escucha la Palabra de Dios.* Asiste a la iglesia y participa del grupo de jóvenes para escuchar la enseñanza y la explicación de la Palabra de Dios. ¡Quieres comprender todo lo que puedas!

Cuarto paso: *Memoriza la Palabra de Dios.* No hay mejor forma de vivir a la manera de Dios que tener su Palabra en el corazón y la mente... y seguirla. Si está allí, Él la usará en tu vida.

Quinto paso: *Desea la Palabra de Dios.* Ya conoces la importancia de la comida física. Bueno, debes comprender que el alimento espiritual de la Biblia es aun más importante. Job declaró: «He atesorado las palabras de [la enseñanza de Dios] más que mi comida» (Job 23:12, LBLA).

La mejor clase de estudio

Si eres cristiana, es lógico que quieras aprender tanto como te sea posible acerca de Jesucristo y su Palabra. Piénsalo: de todas las cosas que aprendes en la vida, ¿cuál es la más importante? No es ni el álgebra ni la biología. Aunque es importante y necesario estudiar esas materias, lo fundamental es conocer quién es Dios y lo que quiere para tu vida. Cuanto más aprendes sobre Él, más segura te sentirás y más fuerza tendrás para los desafíos que enfrentes ahora y en el futuro. ¡La lectura de la Biblia es la mejor clase de estudio![1]

KELLI

Sobre la memorización de la Escritura

Si eres como la mayoría de las adolescentes, no te cuesta memorizar las letras de tus canciones favoritas. A menudo veo a chicas que escuchan música. Las escucho cantar mientras caminan por los pasillos en las tiendas o por la calle. Las palabras están allí, en su mente y en su boca. Bueno, la memorización de la Palabra de Dios puede ser así de sencillo y natural... *si* decides hacerla parte de tu vida.

Dios le dijo a Josué que meditara en su Palabra día y noche (Josué 1:8). ¡Significa que Dios esperaba que conociera la Escritura de memoria! La Biblia también les dice a los jóvenes que atesoren la Palabra de Dios en sus corazones para no pecar contra Él (Salmo 119:11). Para Dios, su Palabra en el corazón de las personas las protege del pecado, de las malas decisiones y del dolor y de la vergüenza que a menudo surgen cuando se toman malas decisiones.

A María, la joven adolescente que se transformó en la madre de Jesús, nuestro Salvador, le apasionaba memorizar partes de la Biblia. ¿Cómo lo sabemos? María atesoraba en su corazón la Palabra de Dios y meditaba en ella, porque cuando abrió la boca para adorar a Dios por la bendición de su Salvador, ¡salieron versículos bíblicos (Lucas 1:46-55)! ¡Hizo al menos quince referencias a pasajes del Antiguo Testamento! Es evidente que María memorizó estos versículos y verdades a propósito (¡una excelente decisión!). Los aprendió de memoria y se volvieron parte de su manera de hablar. Cuando abría la boca, de sus labios fluía la Palabra de Dios. Y la Escritura en su corazón la ayudó a aceptar y vivir el plan de Dios para su vida de transformarse en la madre de Jesús.

Aquí tienes una tarea especial. ¿Cuál es tu versículo preferido de la Biblia? Anótalo y memorízalo. Aprópiate de él. Si no se te ocurre ninguno, usa uno de los que aperecen a continuación.

Mi versículo preferido es:

¡Sé fuerte y valiente! ¡No tengas miedo ni te desanimes! Porque el SEÑOR tu Dios te acompañará dondequiera que vayas» (Josué 1:9).

Reconócelo en todos tus caminos, y él allanará tus sendas (Proverbios 3:6).

La respuesta de tu corazón

Piénsalo: La Biblia es siempre toda tuya. Y es el mejor tratamiento de belleza. La Palabra de Dios se abre paso a tu corazón y te restaura el alma. Cambia tu manera de ver a las personas y las cosas que suceden en tu vida. ¿Quieres una vida mejor? ¡Puedes tenerla! Solo tienes que decidirte a abrir la Biblia cada día y tomar unos minutos para leer y absorber la carta de amor de Dios para ti.

Las chicas que ayudan a las chicas

* ¿Qué puedes decirle a Ana sobre la importancia de encontrarse con Dios y el cambio que puede lograr esto en su vida? ¿Cómo crees que puede cambiar su conducta?

* De los versículos mostrados en este capítulo, ¿cuál significó más para ti y por qué? ¿Cómo se lo transmitirías a Ana?

✳ ¿En qué te pareces a Ana? ¿Debes tomar alguna decisión? ¿Cuál? ¿Qué harás primero?

¿Quieres saber más? ¡Averígualo!

✔ Lee el Salmo 19:7-10. Observa los distintos términos que se usan para la Biblia en cada versículo. Anota cómo se la describe y los efectos que tienen en los que la leen.

	Término	*Descripción*	*Efecto*
Versículo 7			
Versículo 8			
Versículo 9			
Versículo 10			

✔ En el versículo 11, ¿qué beneficios obtiene el que escucha la Palabra de Dios y la guarda?

✔ Lee Josué 1:7. ¿Cuáles son los mandamientos de Dios con respecto a su Palabra? (Al leer, recuerda que *éxito* es la bendición de Dios derramada sobre tu vida por tu obediencia. Te bendice cuando vives a su manera).

•

•

Cuando haces lo que dice Dios, ¿qué experimentarás?

✔ Ahora, lee Josué 1:8. ¿Cuáles son los mandamientos de Dios con respecto a su Palabra?

•

•

Cuando haces lo que dice Dios, ¿qué experimentarás?

Las pautas de Dios para la toma de buenas decisiones

❋ *La Biblia te aleja del pecado.* «En mi corazón atesoro tus dichos para no pecar contra ti» (Salmo 119:11)).

❋ *La Biblia te guía por el buen camino.* «Tu palabra es una lámpara a mis pies; es una luz en mi sendero» (Salmo 119:105).

❋ *La Biblia responde tus preguntas.* «Toda la Escritura es inspirada por Dios y útil para enseñar, para reprender, para corregir y para instruir en la justicia» (2 Timoteo 3:16).

❋ *La Biblia te da discernimiento.* «La palabra de Dios es viva y poderosa, y más cortante que cualquier espada de dos filos. Penetra hasta lo más profundo del alma y del espíritu, hasta la médula de los huesos, y juzga los pensamientos y las intenciones del corazón» (Hebreos 4:12).

❋ *La Biblia es tu mejor tesoro.* «Los preceptos del Señor son rectos: traen alegría al corazón. El mandamiento del Señor es claro: da luz a los ojos [...] Son más deseables que el oro, más que mucho oro refinado; son más dulces que la miel, la miel que destila del panal» (Salmo 19:8, 10).

Habla con Dios

En toda ocasión, con oración y ruego, presenten sus
peticiones a Dios y denle gracias.

FILIPENSES 4:6

¡Aleluya! ¡Ana se levantó! *¡Al fin!* En cuanto se levanta, lo primero que ve es la Biblia y su lección bíblica sin terminar sobre la mesa de noche. «¡Ay, no!», gime al darse cuenta de que ha fracasado por completo en su compromiso de orar todos los días esta semana. En realidad, no fue idea suya, pero sus amigos del grupo de la iglesia estaban tan entusiasmados que les siguió la corriente. Estaban estudiando la oración, y *ellos* quisieron poner en práctica lo que aprendieron mediante el compromiso de orar.

«¿En qué estaba pensando? ¡No puedo creer que haya hecho eso!», murmura Ana. «Qué pérdida de tiempo. Todo va bien en mi vida. ¿Por qué necesito orar? ¿Y por quién... y por qué? ¿Por misioneros que no conozco? ¿Por personas enfermas? Y claro, mi familia es importante, pero no sé si orar por Jasón y Tiffany. Aunque son mis hermanos, son un tormento. Sin embargo, dije que lo haría. Bueno, Dios. Aquí va. *Bendice a los misioneros y a mi familia hoy... incluso a Jasón y a Tiffany. Y, por supuesto, ¡bendíceme a mí! Amén».*

> *Dios nos llama a orar, a pensar, a soñar, a planear y a no darle tanta importancia al trabajo, sino a darle una gran importancia a Él en cada esfera de nuestra vida.*
>
> JOHN PIPER

Dios está a tu disposición las veinticuatro horas del día los siete días de la semana

«¿Suena tu teléfono celular?» Es algo que escuchamos a diario, ¿no? Parece que todos tienen un celular, y hay muy pocos lugares donde no puedes recibir la señal. En muchos aspectos, la oración es como un teléfono celular. Puedes orar cuando quieras, donde quieras, todo el tiempo que quieras. Sin embargo, a diferencia de un celular, la oración es gratuita por completo. Además, no hace falta buscar en un directorio para encontrar el teléfono de Dios. La comunicación con Él no requiere audífonos: es manos libres. Asimismo, tienes línea directa con el Dios del universo las veinticuatro horas del día los siete días de la semana. ¿Qué te parece esa tecnología? Es decir, ¡una tecnología divina!

Diez razones por las que no oramos

Con los detalles de la oración tan sencillos como inclinar tu cabeza y solo hablar de tu vida con Dios, cualquiera pensaría que oraríamos mucho más de lo que lo hacemos. ¿Alguna vez has pensado por qué no oras más? Al mirar mi propio corazón y mi vida, he descubierto algunas razones (y excusas) para no orar. Fíjate si te sientes identificada.

1. *Mundanalidad*. El mundo nos afecta más de lo que pensamos. Ejerce una presión constante sobre nosotros para que nos conformemos y vivamos como vive el mundo... en lugar de vivir a la manera de Dios. Y como tenemos alimento, vestido, hogar, familia, amigos y muchas cosas divertidas para hacer, pensamos de manera equivocada: *¿Por qué necesito hablar con Dios? Tengo todo lo que necesito sin orar.*

2. *Ocupaciones*. Como Ana, a menudo no le dedicamos tiempo a la oración ni nos esforzarnos por orar. La oración no es una prioridad, así que llenamos nuestro tiempo con cosas más importantes en apariencias. Estamos tan ocupadas que ni siquiera pensamos en cómo incluir la oración en la vida cotidiana.

3. *Insensatez*. Cuando nos consumen cuestiones insensatas, triviales y sin sentido, dejamos de orar. Perdemos la capacidad de reconocer entre lo bueno y lo malo, lo esencial y lo que tiene poco valor eterno. Todo se vuelve una «zona gris» que no requiere oración (o eso pensamos).

4. *Distancia*. No nos cuesta hablar con nuestros amigos. ¡Ana habla durante horas con su amiga María! Sin embargo, ¿hablamos con alguien que no esté en nuestro círculo social? Olvídalo. Lo mismo sucede con la comunión con Dios. Cuando la relación con Él no es personal, nos cuesta hablarle. No sabemos qué decir y no nos sentimos cerca de Él ni estamos cómodas en su presencia, así que no somos sinceras de verdad.

5. *Ignorancia*. No tenemos idea sobre cómo funciona la oración. Y no comprendemos cómo ayuda ni cómo encaja en

nuestra relación con Dios y en la buena toma de decisiones. En esencia, no comprendemos de verdad el amor de Dios por nosotros y su poder para mejorar nuestras vidas.

6. *Pecaminosidad*. No oramos porque sabemos que hicimos algo mal. En el corazón, sabemos que necesitamos hablar con Dios al respecto, confesar y ponernos de acuerdo con Él en que lo que hicimos estuvo mal. ¿Qué podemos hacer con nuestros pecados y nuestros fracasos? Mantén las cuentas cortas con Dios. Lidia con cualquier pecado cuando llegue el momento, en el acto, en el minuto exacto en el que ocurre un desliz y un error.

7. *Falta de fe*. No creemos en el poder de la oración. A menudo, se debe a que no conocemos ni nos damos cuenta del poder de las promesas maravillosas que nos hizo Dios. Desconocemos que nos asegura que nos escuchará y responderá nuestras oraciones. No creemos que la oración logre un cambio, así que ni siquiera lo intentamos.

8. *Orgullo*. La oración muestra nuestra dependencia de Dios. Cuando no oramos, nuestro orgullo transmite que no tenemos necesidades. O lo que es peor, decimos: «Dios, yo me ocuparé de la situación y de mí. No te necesito en este momento».

9. *Inexperiencia*. No oramos porque... no oramos. Y como no oramos, ni siquiera se nos ocurre hacerlo... entonces no oramos. Nos parecemos a un perro que persigue su propia cola. Es un ciclo que no lleva a ninguna parte.

10. *Pereza*. Tal vez este sea el obstáculo principal. No hacemos el esfuerzo de hablar con Dios. No queremos tomarnos el tiempo necesario. La oración es un acto de la voluntad. Es una decisión. Tenemos que desear orar... y, luego, *decidirnos* a hacerlo[1].

De la Palabra de Dios
a tu corazón...

Mientras lees cada una de estas brillantes promesas y garantías sobre la oración, observa el mensaje de Dios para tu corazón con respecto a tu vida y a cómo la oración te ayuda a vivir a su manera.

«Clama a mí y te responderé, y te daré a conocer cosas grandes y ocultas que tú no sabes», [afirma el Señor] (Jeremías 33:3).

Amen a sus enemigos y oren por quienes los persiguen (Mateo 5:44).

Crean que ya han recibido todo lo que estén pidiendo en oración, y lo obtendrán (Marcos 11:24).

Así que acerquémonos confiadamente al trono de la gracia para recibir misericordia y hallar la gracia que nos ayude en el momento que más la necesitemos (Hebreos 4:16).

Si a alguno de ustedes le falta sabiduría, pídasela a Dios, y él se la dará (Santiago 1:5).

¿Está afligido alguno entre ustedes? Que ore (Santiago 5:13).

Si confesamos nuestros pecados, Dios, que es fiel y justo, nos los perdonará y nos limpiará de toda maldad (1 Juan 1:9).

No tienen, porque no piden. Y cuando piden, no reciben porque piden con malas intenciones, para satisfacer sus propias pasiones (Santiago 4:2-3).

La respuesta de tu corazón

La oración es una actividad espiritual y requiere una decisión del corazón y esfuerzo. Así que si no oras, o no oras mucho, fíjate en esta lista de control.

✳ *Examina tu relación con Dios.* ¿Hay algo que haya creado una barrera entre tú y Dios? Si es así, inclina el corazón y admíteselo a Dios. Pídele que te ayude a hacer lo que sea necesario para superar los obstáculos que hay entre tú y una relación amorosa y abierta con Dios que te permita hablar con Él sobre cualquier cosa... incluyendo una buena toma de decisiones.

* *Examina tu estilo de vida.* ¿Qué... o quién... influye en ti? ¿Recibes influencias positivas para las cosas de Dios? Si no es así, ¡quita estas cosas de tu vida! Nada ni nadie es tan importante como para poner en peligro tu relación con Dios y tu disposición de hablar con Él en oración.

* *Examina tu deseo.* La oración nunca se transformará en un hábito maravilloso ni en una disciplina si falta el ingrediente principal: el deseo. Podemos saber qué hacer y por qué hacerlo, pero si no queremos hacerlo, no se volverá una realidad en nuestra vida.

Amiga, ¿quieres orar? ¡Creo que sí! Aquí tienes dos principios sencillos (¡más decisiones fantásticas!) que te ayudarán a avanzar para vencer o superar tus excusas para no orar.

* *Primer principio*: Vete a dormir. ¿Acaso no quieres cumplir la primera decisión (levantarte a la hora debida mañana)? Bueno, lo primero que debes hacer es prepararte para ir a dormir temprano. Termina tu tarea escolar. Haz todo lo que tienes que hacer antes de dormir: lavarte la cara, los dientes, etc. Luego, revisa tu horario y crea una lista de cosas para hacer al día siguiente. Coloca la Biblia y un cuaderno de oración donde vayas a tener tu tiempo a solas con Dios por la mañana. Después, vete a dormir, temprano, a fin de poder encontrarte con tu Padre celestial y hablar con Él al otro día.

¿Sabías que los expertos en sueño dicen que necesitas dormir entre ocho horas y media y nueve horas y cuarto todas las noches? «Sin embargo, la gran mayoría de los adolescentes (el 85%) duerme menos: en promedio, unas dos horas menos. Como resultado, casi todos los adolescentes de hoy tienen una falta de sueño crónica. Muchos tienen tanto sueño que viven en una especie de "mundo nebuloso" [...] la palabra "zombi" es una descripción bastante acertada»[2].

❋ *Segundo principio*: «Algo es mejor que nada». Cualquier oración es mejor que ninguna. Un poco de oración es mejor que nada. Comienza con la decisión de orar unos minutos cada mañana. En forma gradual, aumenta el tiempo de oración.

Las chicas que ayudan a las chicas

❋ Anota dos o tres excusas que tenía Ana para no orar. Además, anota algunas de sus malas actitudes.

❋ ¿Qué puedes decirle a Ana sobre la importancia de la oración y el cambio que puede lograr esto en su vida? ¿Qué puedes decirle acerca del cambio que puede lograr?

✳ De los pasajes que aparecen en este capítulo, ¿cuál significó más para ti y por qué? ¿Cómo se lo transmitirías a Ana?

✳ ¿En qué te pareces a Ana? ¿Hay alguna decisión que debas comenzar a tomar en cuanto a la oración? ¿Cuál? ¿Qué harás primero?

¿Quieres saber más? *¡Averígualo!*

✔ La Biblia está llena de personas que tomaron la decisión de orar por sus vidas y sus decisiones. Fíjate qué puedes aprender sobre el cambio que logró la oración en las vidas de estas personas del Antiguo Testamento y lo que hablaban con Dios.

David: Lee el Salmo 32:1-5. ¿Qué problema tenía David y qué sucedió cuando oró?

Abraham: Lee Génesis 18:20-33 y 19:29. ¿Qué le preocupaba a Abraham y qué hizo al respecto? ¿Qué sucedió?

En el Nuevo Testamento aprendemos mucho acerca de Jesús, quien oraba a la perfección. Lee Lucas 6:12-13. ¿Durante cuánto tiempo oró Jesús y qué decisión tomó después? Además, anota las decisiones que tienes por delante y luego, en tu calendario, marca un momento para orar por esto.

Ahora, lee Mateo 26:36-46. ¿Cuál era la intención de Jesús (v. 36)?

- ¿Cómo se describe la seriedad de la situación de Jesús (vv. 37-38)?

- ¿Qué postura adoptaba Jesús cuando oraba (v. 39)?

- Jesús oraba sobre el «trago» amargo de la muerte en la cruz. ¿Cuántas veces oró acerca de la voluntad de Dios (vv. 39-44)?

- ¿Cuál era el abrumador deseo de Jesús, lo que quería por sobre todas las cosas, expresado repetidas veces en sus oraciones en Getsemaní (vv. 39, 42 y 44)?

- Después de pasar mucho tiempo en oración, ¿cómo respondió Jesús ante el plan de Dios para Él (vv. 45-46)?

* *Camina en obediencia a la Palabra de Dios.* «Dios aborrece hasta la oración del que se niega a obedecer la ley» (Proverbios 28:9).

La vida de oración de Nehemías

• Cuando estaba desalentado, oraba (Nehemías 1:4).

• Cuando buscaba guía, oraba (1:5-11).

• Cuando buscaba ayuda, oraba (2:1-5).

• Cuando lo atacaban, oraba (4:4-5, 9).

• Cuando se sentía débil e impotente, oraba (6:9).

• Cuando estaba contento, oraba (12:27, 43)[3].

Las pautas de Dios para la toma de buenas decisiones

* *Trae confiada todas tus preocupaciones delante Dios.* «Dios sí me ha escuchado, ha atendido a la voz de mi plegaria. ¡Bendito sea Dios, que no rechazó mi plegaria ni me negó su amor!» (Salmo 66:19-20).

* *Recuerda orar en tiempos de prueba.* «Los ojos del SEÑOR están sobre los justos, y sus oídos, atentos a sus oraciones [...] los justos claman, y el SEÑOR los oye; los libra de todas sus angustias» (Salmo 34:15, 17).

* *Sustituye la preocupación con la oración.* «No se inquieten por nada; más bien, en toda ocasión, con oración y ruego, presenten sus peticiones a Dios y denle gracias. Y la paz de Dios, que sobrepasa todo entendimiento, cuidará sus corazones y sus pensamientos en Cristo Jesús» (Filipenses 4:6-7).

* *Cultiva la oración como ministerio.* «Oren en el Espíritu en todo momento, con peticiones y ruegos. Manténganse alerta y perseveren en oración por todos los santos» (Efesios 6:18).

La Regla de Oro comienza en casa

*Traten a los demás tal y como quieren
que ellos los traten a ustedes.*

LUCAS 6:31

¡Atención! ¡Ana se puso en marcha! Al fin, salió de la cama... muy tarde. Ya tuvo un altercado con su mamá y ahora está en libertad. Mientras va dando tumbos por el pasillo hacia el baño, el mundo la espera, comenzando por su hermanito, Jasón, y su hermanita, Tiffany.

¡Qué molestia!, piensa Ana cuando ve a Jasón.

Tiene tres años menos que Ana y siempre la molesta terriblemente, en especial cuando vienen sus amigas.

¡Puf! Ahí está Tiffany. Cree que es una princesa... y así actúa.

El día de Ana no comienza para nada bien.

Tiffany tiene diez años y ya le gusta revisarle las cosas a su hermana y «pedirle prestada» la ropa.

Ana cree que uno de sus llamados en la vida es encontrar maneras de amargarle la vida a Jasón y a Tiffany. Y aquí está la primera oportunidad del día.

«¡Salgan de mi camino o lo lamentarán!», les ladra Ana. «¡Y salgan del baño! ¿No ven que llego tarde? ¡Denme un poco de privacidad!»

A la fuerza, Ana saca a sus hermanos del baño, les cierra la puerta en la cara y cierra con llave. Sin duda, los pobres niños sufrieron las consecuencias del enojo matutino de su hermana. También tienen que prepararse para la escuela, así que golpean la puerta y gritan para que su mamá venga al rescate.

¿Acaso Ana vive una vida de cuentos? Primero, evitó sacar la basura (¡gracias, papá!). Luego, manipuló y le mintió a su mamá para escapar del castigo. Y, ahora, intimida a sus hermanos para sacarlos del baño con palabras duras, fuerza y amenazas. Su actitud grita: «¡Les mostraré quién es la *verdadera* princesa!».

De la Palabra de Dios a tu corazón...

De seguro que has oído acerca de «la Regla de Oro». ¿Sabías que Jesús fue el primero que la dijo? ¡Así fue! «Estas palabras se conocen comúnmente como la Regla de Oro. En muchas religiones se expresan negativamente: "No hagas a otros lo que no quisieras que hicieran contigo". Al hacer esta declaración positiva, Jesús la hizo mucho más significativa. No es difícil frenar nuestra intención de causar daño a alguien; es mucho más dificultoso tomar la iniciativa para hacer un bien a favor de esa persona. La Regla de Oro, como Jesús la formuló, es el fundamento de la bondad y la misericordia activas, como la que Dios nos muestra cada día»[1]. Cuando leas estas dos citas de Jesús, resalta lo que te llama la atención.

Así que en todo traten ustedes a los demás tal y como quieren que ellos los traten a ustedes. De hecho, esto es la ley y los profetas (Mateo 7:12).

Traten ustedes a los demás tal y como quieren que ellos los traten a ustedes (Lucas 6:31).

Lo que eres en casa es lo que eres en verdad

Sin duda, vivo según la verdad de «lo que somos en casa es lo que somos en verdad». Cuando mis hijas eran pequeñas, se los recordaba siempre. ¿Acaso puede un cristiano comportarse de una manera en público (en la escuela, la iglesia o el trabajo) y de otra diferente en su casa? ¿Es adecuado que se comporte de una manera con sus amigos y de otra distinta con su familia? ¡No debería hacerlo!

La palabra para esta clase de conducta doble es *hipocresía*, que viene de la palabra *hipócrita*. Significa «falso». Un hipócrita es un engañador, un actor, un simulador; alguien que se pone una máscara y finge ser algo que no es. Significa ser de determinada manera con algunas personas y, luego, ser lo opuesto con otras.

¿Alguna vez has escuchado el término «de dos caras»? Bueno, es lo mismo. ¿Y alguna vez has conocido a una persona de dos caras, que se comportaba de dos formas diferentes? (O... eh... ¿alguna vez *tú* has actuado de esa manera?). ¿Recuerdas lo amable que fue Ana con su amiga María? Hablaron con alegría por teléfono durante un largo rato. Sin embargo, ahora, vemos cómo trata Ana a sus hermanos. Tiene dos caras. Representa dos papeles. Es una versión moderna del Dr. Jekyll y Mr. Hyde.

Es mala y desagradable con su familia. No obstante, con sus amigos, se vuelve dulce como la miel.

De la Palabra de Dios
a tu corazón...

A veces, podemos aprender mucho sobre las acciones al estudiar sus opuestos. ¿Qué dicen estos pasajes sobre las acciones opuestas a la conducta de Ana con su familia? ¿Y cómo estás tú en estas esferas?

> *Sean bondadosos y compasivos unos con otros* (Efesios 4:32).

> *Por tanto, imiten a Dios, como hijos muy amados, y lleven una vida de amor* (Efesios 5:1-2).

> *En cambio, el fruto del Espíritu es amor, alegría, paz, paciencia, amabilidad, bondad, fidelidad, humildad y dominio propio* (Gálatas 5:22-23).

Cristo nos transforma de adentro hacia fuera

¿Te diste cuenta que muchas de las decisiones que mencionamos involucran el corazón? En esencia, implican *amar* a Dios, *averiguar* lo que dice sobre estas cuestiones de tu vida y, luego, *seguir* sus principios... Tomar las elecciones y las decisiones adecuadas que se basan en lo que dice su Palabra y en la oración.

Lo mismo sucede con la elección de poner en práctica la Regla de Oro. La manera en que hablamos y tratamos a los demás es una cuestión del corazón. ¿Por qué lo digo? Porque Jesús lo dijo. Actúa de la siguiente manera: «De la abundancia del corazón habla la boca. El que es bueno, de la bondad que atesora en el corazón saca el bien, pero el que es malo, de su maldad saca el mal» (Mateo 12:34-35).

¿Recuerdas cómo era tu vida antes de ser cristiana? ¿Te acuerdas de cómo actuabas delante de los demás? ¿Cómo tratabas a las personas? Aun cuando eras buena, no podías amar tanto como ahora que tienes a Jesús en el corazón. La Biblia dice que estabas muerta en tus pecados, que las fuerzas del mal te controlaban. Tus acciones eran conformes a un corazón incrédulo (Efesios 2:1-3).

¡Pero por fortuna Dios no nos abandonó allí! La Biblia revela que Dios, en su gran amor, nos mostró misericordia y nos dio vida con Cristo. «Por gracia [de Dios] sois salvos» (Efesios 2:5, RV-95). Por gracia de Dios, también somos transformadas, cambiadas, desde adentro hacia fuera. Ahora, somos nuevas criaturas en Cristo (2 Corintios 5:17). ¡Así que pon en práctica lo que Dios puso en tu corazón! Vive las obras del Espíritu Santo. (Vuelve a leer Gálatas 5:22-23 para revisar la lista de conductas piadosas).

Decisiones para poner en práctica la Regla de Oro

1. *Decide examinar tu corazón.* ¿Estás cansada de tu manera de vivir? ¿De tu manera de tratar a las personas? Pídele a Jesús que te acompañe en un examen espiritual. Pregúntate: *¿Ha transformado Dios mi corazón desde adentro hacia fuera? ¿Es Jesús en verdad mi Salvador? ¿He sometido mi vida a su dirección?*

Si respondes «no» a algunas de estas preguntas, sufres aún de muerte espiritual. Tu situación requiere una transformación espiritual completa... desde adentro hacia fuera. ¡Y solo Dios puede hacerlo! Así que comienza ahora. Pídele a Jesús que entre a tu corazón y a tu vida. Necesitas la vida que solo Él puede dar: la *espiritual*. La única manera de vivir como Jesús y de respetar la Regla de Oro es invitarlo a que sea tu Señor y Salvador. Esta sencilla oración ferviente puede abrirle tu corazón a Cristo y a una vida transformada. Deja que Jesús entre a tu corazón... ¡y te transformará!

> *Señor Jesús, no te conozco como Salvador. Estoy separada de ti por mis pecados. Perdóname. Ven a mi vida ahora y toma el control de mis acciones. Quiero seguirte. Quiero amar a los demás con tu amor. Quiero ser amable. Quiero todas las cualidades piadosas que enumeras en tu Palabra y que pusiste en práctica aquí en la tierra. Ayúdame a alejarme de mis pecados, a seguir tu ejemplo y amar a los demás como me amas tú. Amén.*

Habla con Dios. Y, luego, habla con alguien que pueda ayudarte a conocer a Jesús y a parecerte cada vez más a Él.

2. *Decide volver a examinar tu corazón.* Si Jesús es tu Salvador, su Espíritu vive en ti. Así que tienes la capacidad de ser amable con todos, de tratar a los demás como los trató Jesús. Entonces, ¿cuál es el problema? ¿Por qué no sucede? Respuesta: *Pecados sin confesar.* El pecado es como la basura en las cañerías. La suciedad y la basura las atascan y evitan que el agua fluya con libertad. El pecado funciona así. Obstruye el flujo del Espíritu Santo en ti. No obstante, si decides confesar tus pecados y arrepentirte, y le permites a Dios que limpie tus cañerías sucias, puedes vivir a su manera (1 Juan 1:9).

3. *Decide leer la Biblia*. La Palabra de Dios tiene el poder de obrar de forma espiritual en tu vida desde el interior. Cuando tomas la segunda decisión del día (después que te levantas) y lees la Biblia, no eres la misma persona. La Palabra de Dios es pura, poderosa, revolucionaria y espiritual. Cuando la lees y permites que te cambie el corazón y la mente, ya no piensas ni actúas de maneras mundanas ni dañinas. Cuando te metas en la Palabra de Dios, descubrirás que su Espíritu te transforma (Romanos 12:1-2). Cuanto más lees, más creces, ¡y te vuelves más semejante a Cristo! Se hace más fácil tratar a los demás con amabilidad y como lo hizo Cristo.

4. *Decide ser amable en casa*. Quizá sea difícil creerlo o digerirlo ahora, pero no hay nada como la familia. Los amigos van y vienen. Algunos son inconstantes y se vuelven en tu contra. Otros se mudan lejos... o pasan a formar parte de otros grupos. Sin embargo, tu familia es para siempre. Dentro de un año, cinco años, diez años, tu familia seguirá allí contigo. Entonces, ¿por qué no inviertes la mayor parte de tu amabilidad y bondad en casa? Allí están las personas que más te importan. Sí, incluso tus hermanos ruidosos, entremetidos y fastidiosos. Prueba estos sencillos detalles amables. ¡Te sorprenderá el cambio que logran en tu vida y la suya!

❋ Decide saludar con alegría en la mañana.

❋ Decide decir un cumplido todos los días.

❋ Decide ayudar a tu hermanita a limpiar su leche derramada o a cepillarse el cabello.

❋ Decide ayudar a tu hermanito a encontrar su mochila.

❋ Decide ayudar a mamá con un proyecto sin que te lo pida.

✳ Decide ayudar a papá con un proyecto sin que te lo pida.

Recuerda, lo que eres en casa es lo que eres en verdad. En mi libro *Una joven conforme al corazón de Dios*, hablé de la importancia de vivir para *dar* y no para *recibir*.

> Imagínate que eres la persona más rica del mundo. En tu mano está bendecir a los demás en todo el mundo por cada cosa que tienes que dar y compartir con otros. Después imagínate que vas por un camino, por una carretera, o por una calle (o el pasillo de la escuela... ¡y agreguemos el vestíbulo de tu casa!). Y ahí estás... literalmente despojándote de tus riquezas, dándoselas en abundancia a todos los que pasan por tu lado. ¡Sonríes! ¡Los saludas! ¡Y les das algo![2]

Decide ser generosa y comenzar donde más importa: allí donde vives. Dales a esos que viven contigo. Es así. Si puedes hacerlo en tu casa, ¿qué crees? ¡Puedes hacerlo en cualquier parte! Si puedes darle a tu familia, ¿qué crees? ¡Puedes darle a cualquiera! ¿Por qué? Porque lo que eres en casa... ¡ya sabes el resto!

Recuerda lo que escribió en su diario la joven mencionada en la introducción acerca de la Regla de Oro: «Ahora puedo decidir imitar a mi Maestro, quien se pasó toda la vida haciendo el bien»[3].

La respuesta de tu corazón

¿No te encanta cuando las personas practican la Regla de Oro y te tratan bien? Es una sensación maravillosa. Es lamentable que tú y yo no siempre tratemos a los demás según esta regla, en especial, a nuestra familia. ¿Cuántas veces te han dicho tus padres: «Sé buena con tus hermanos»? Es probable que más veces de las que quisieras admitir, ¿no es así? Aquí tienes una verdad interesante: ¿Sabías que la Biblia nunca nos dice que «seamos buenas»? Aun así, ¡un momento! Antes de salir corriendo a contárselo a alguien, déjame explicar. Lo que la Biblia *sí* dice es que debemos ser bondadosas (Efesios 4:32).

¿Qué diferencia hay entre ser amables y ser bondadosas? Ser amable con alguien es solo ser educada, pero la bondad es preocuparse y ser considerada. La bondad supone la compasión y la consideración. La amabilidad es superficial. Podemos «actuar» con amabilidad con alguien, aunque no lo soportemos por dentro. Sin embargo, la bondad es distinta. Es una acción profunda, intensa y sincera. Requiere el corazón... *nuestro* corazón. Y Dios nos ayudará a ser bondadosas, incluso con las personas que no nos agradan.

¿Quieres permitirle al Espíritu de Dios moverse en tu corazón y decidir ser bondadosa? Elige practicar la Regla de Oro de Dios en todas partes, sobre todo en tu casa. Piensa en lo que significará eso en tu familia. Los bendecirás. Y lo mejor de todo es que honrarás a Dios con tus acciones.

Las chicas que ayudan a las chicas

❋ Anota dos o tres maneras en que Ana maltrató a su familia. Además, anota algunas de sus actitudes.

❋ ¿Qué le dirías a Ana sobre la razón y la manera de practicar la Regla de Oro de Dios en su casa?

❋ De los pasajes que aparecen en este capítulo, ¿cuál significó más para ti y por qué? ¿Cómo se lo transmitirías a Ana?

❋ ¿En qué te pareces a Ana? ¿Es necesario que tomes alguna decisión con respecto a tu familia... y a las personas en general? ¿Cuál?

¿Quieres saber más?
¡Averígualo!

La Biblia tiene mucho que decir sobre «hacerle a los demás lo que quieres que te hagan». La expresión «unos a otros» aparece muchas veces en la Biblia.

✔ Busca y anota las veces que aparece esta expresión en los siguientes pasajes. Anota cómo comenzarás a aplicarlos en tus relaciones. Primero, concéntrate en tu familia y, luego, en tus amigos y conocidos... Incluso en los que pueden ser, según Jesús, tus «enemigos» (Mateo 5:44). (Mantente alerta: En algunos versículos esta expresión aparece más de una vez).

Romanos 12:10:

Romanos 12:16:

Gálatas 5:13:

Efesios 4:2:

Efesios 4:32:

1 Tesalonicenses 5:11:

Santiago 4:11:

Juan 13:34:

Las pautas de Dios para la toma de buenas decisiones

✳ *Protégete contra cualquier cosa que pueda separarte de tu familia.* «¡Cuán bueno y cuán agradable es que los hermanos convivan en armonía!» (Salmo 133:1).

✳ *Concéntrate en el servicio.* «Se levanta de madrugada, da de comer a su familia y asigna tareas a sus criadas» (Proverbios 31:15).

✳ *Desarrolla una mentalidad de equipo.* «Más valen dos que uno, porque obtienen más fruto de su esfuerzo. Si caen, el uno levanta al otro. ¡Ay del que cae y no tiene quien lo levante!» (Eclesiastés 4:9-10).

✳ *Demuéstrale amor a tu familia.* «El que ama a su hermano permanece en la luz, y no hay nada en su vida que lo haga tropezar. Pero el que odia a su hermano está en la oscuridad» (1 Juan 2:10-11).

✳ *Acepta el plan de Dios de la obediencia.* «Hijos, obedezcan en el Señor a sus padres, porque esto es justo. "Honra a tu padre y a tu madre —que es el primer mandamiento con promesa— para que te vaya bien y disfrutes de una larga vida en la tierra"» (Efesios 6:1-3).

«¡No tengo nada que ponerme!»

Háganlo todo para
la gloria de Dios.
1 Corintios 10:31

Después que toda la familia la obliga a salir del baño, Ana se va a su habitación enojada.

«Algún día», murmura, «me iré de aquí y tendré mi propio apartamento. Entonces, podré quedarme todo lo que quiera en el baño». Al abrir la puerta de su habitación, que luce un audaz letrero con las palabras «¡Prohibido pasar o morirás!», se pregunta: *Ahora, veamos... ¿Qué me pongo?*

¡Entrar a su habitación es como ir a una zona de desastre! Por todos lados hay ropa, libros, cajas de discos compactos, proyectos sin terminar y basura diseminada. *No importa*, decidió. *Llego tarde a la escuela. Limpiaré mi habitación en otro momento.*

Esquiva varias pilas y se acerca a su armario. Al abrir la puerta corrediza, una avalancha de cosas, incluyendo ropa sucia, cae en cascada. Por desdicha, esto significa que no queda demasiada ropa limpia para elegir. Al pensar en la casa de María,

Ana suspira: *¿Por qué no tendré una mamá como la de María? ¡La Sra. Ortiz es genial! Le lava la ropa a María y le mantiene la habitación ordenada. Además, María siempre tiene mucha ropa limpia que ponerse. ¡Su mamá hasta se preocupa de proveerle ropa de última moda! ¡Y yo no tengo nada que ponerme!*

¡Un momento! ¿Qué es esto?, chilla Ana. En una esquina remota, colgada en una percha, hay una ropa que su madre le ha prohibido usar. *Mamá ya se fue con los malcriados de Jasón y Tiffany... Así que, ¿por qué no?*

Es la gran oportunidad de Ana de ponerse su ropa prohibida.

Si lo hago bien, puedo llevarme una tostada y salir antes de que papá vea lo que tengo puesto, decidió Ana. *Todos en la escuela usan este tipo de ropa. No hay problema si muestro un poco de piel. Pasaré inadvertida por completo. Y está ese chico nuevo... quizá se fije en mí si me pongo esta ropa.*

Ana se detiene y vuelve a pensar en su mamá. *¿Y cuál es el problema si me descubre? Puedo decirle que no tenía otra cosa que ponerme*, racionaliza.

Espejito, espejito

Querida amiga, ¿sabías que tu ropa exterior refleja lo que sucede (o no sucede) en el interior, en tu corazón y tu mente? Ana tomó una decisión sobre su ropa para ir a la escuela. ¿Habrías tomado la misma decisión?

Quizá te sorprenda enterarte de que a Dios le importa lo que te pones. Además, quiere que le consultes las decisiones que tomas todos los días, incluso en cuanto a tu vestuario. En realidad, tiene mucho que decir sobre lo que te pones. Como cristiana, Ana representa a Dios y es un anuncio vivo de Él.

Entonces, ¿cuál es el código de vestimenta divino? ¿Cuáles son sus pautas? ¿Y qué considera como errores de moda?

Primera pauta: Modestia. ¡Uf, ah! Esto parece muy anticuado. Sin embargo, es algo que Dios considera importante, así que es un concepto eterno. La Biblia dice que hay que vestirse «con modestia» (1 Timoteo 2:9). La definición de *modestia* es «una ausencia de excesos, pretensión o espectáculo». Describe la ropa «adecuada» para una joven que ama a Dios y desea seguirlo. La modestia denota evitar los extremos. Significa tener cuidado de no usar demasiado maquillaje, joyas y ropa costosa. Además, implica tener cuidado de ponerse lo suficiente; es decir, evitar la ropa escasa, ajustada y reveladora. Son algunas ideas, pero seguro que comprendes.

Es triste que a nuestra cultura dominante no le interese ni la modestia ni la moderación. Es más, tiene un lema opuesto. «Todo es válido. Reduce la limitación. Exprésate. Exhibe tu cuerpo». Dios nos llama a alejarnos de estas normas y formas de pensar. Nos guía a *sus* normas.

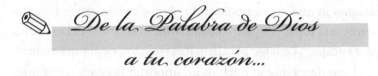

De la Palabra de Dios
a tu corazón...

Romanos 12:2 señala cómo vivir a la manera de Dios y tomar las decisiones que desea Él. Al leer este versículo, anota tus pensamientos sobre cómo se aplican estos mandamientos del Señor a tu vida y cómo influyen en tus decisiones.

«No se amolden al mundo actual». Como una joven conforme al corazón de Dios, no dejes que el mundo te meta a presión en su molde impío. No copies las costumbres osadas o extremas ni las modas de este mundo.

«Sean transformados mediante la renovación de su mente». Deja que Dios vuelva a moldear tu mente desde adentro. Él cambiará tu punto de vista y tu forma de pensar para que concuerden con la transformación que está obrando en ti. Dale la espalda al mundo y a sus modos de actuar, a fin de poder adoptar los nuevos ideales y las actitudes de Cristo.

«Así podrán comprobar cuál es la voluntad de Dios, buena, agradable y perfecta». En otras palabras, podrás «encontrar y seguir la voluntad de Dios; es decir, lo que es bueno, agradable a Él y perfecto»[1].

Aquí tienes algunas buenas preguntas para hacer cuando busques lo que te vas a poner: ¿Qué motivación tengo para ponerme esta ropa? ¿Es para conformarme al estándar del mundo... para encajar? ¿Lo hago para llamar la atención de alguna manera?

Dios desea que su pueblo, sin importar la edad, tenga principios morales altos, y comienza con lo que vestimos.

Segunda pauta: Decencia. En 1 Timoteo 2:9 también dice «que las mujeres se vistan con decencia» (TLA). Además, aquí podríamos usar la palabra *respetable.* Déjame preguntarte: ¿Quiénes son los chicos más respetables de tu escuela? ¿Son los que le siguen la corriente a la multitud? ¿O los que se mantienen fuera, y por encima, de la multitud? En general, los chicos más respetados reciben admiración porque tienen principios altos para la conducta, el carácter, la forma de hablar, las calificaciones, el deporte y el compromiso.

¿Quieres ser respetable y que te respeten? ¡Seguro que sí! Entonces, establece un estándar alto para tu ropa. Y recuerda que lo que puede ser respetable para el mundo, no siempre está bien para un cristiano. En tu amor por Jesús encontrarás los principios esenciales para la elección de tu vestimenta.

Tercera pauta: Decoro. La Palabra de Dios enumera otra norma de vestirse: «que ellas se vistan decorosamente» (1 Timoteo 2:9). El *decoro* significa algo adecuado, apropiado. Pregunta: «Como cristiana, ¿qué puedo ponerme que sea adecuado y apropiado?». Una chica con un corazón humilde y dedicado a Dios elige su ropa con cuidado. Se asegura que sus decisiones reflejen su posición como hija del Rey, el Señor Jesús. Se preocupa por no deshonrar el nombre de Jesús ante un mundo que observa.

Cuarta pauta: Padres. Los padres amorosos de Ana le dieron pautas a seguir, pero ella decidió no hacerles caso. Cuando tus padres te dan el consejo bíblico y los escuchas, suceden varias cosas. En primer lugar, honras el deseo de Dios de respetar a tus padres (Deuteronomio 5:16). En segundo lugar, puedes esperar que te vaya bien (o mejor) porque Dios añade una bendición a los que cumplen sus mandamientos (lee la última parte del versículo 16). Y en tercer lugar, no harás nada insensato, como vestirte de forma reveladora para atraer de manera sexual a los varones o llegar a extremos para tener un sitio en la multitud. (Cualquier chico que se interese en ti por tu ropa provocativa no es bueno para ti. Y si la amistad se apoya en la ropa, no es una verdadera amistad).

¿Qué debe vestir una mujer?

¿Cómo se las arregla una mujer para discernir la delgada línea entre la vestimenta adecuada y vestirse para ser el centro de atención? La respuesta comienza con la intención del corazón. La mujer debería examinar sus motivaciones y objetivos a la hora de vestirse. ¿Acaso quiere mostrar la gracia y la belleza de ser mujer? [...] ¿Quiere revelar un corazón humilde y dedicado a adorar a Dios? ¿O desea llamar la atención y hacer alarde de su riqueza y hermosura? O lo que es peor, ¿intenta atraer sexualmente a los hombres? La mujer que se concentra en adorar a Dios considera con sumo cuidado su manera de vestir, porque su corazón dictará su vestimenta y su apariencia[2].

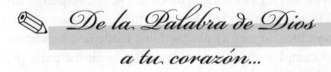

De la Palabra de Dios a tu corazón...

Veamos algunos principios adicionales que Dios nos da para ayudarnos a decidir lo que debemos vestir o no. Estas pautas te ayudarán a tomar las decisiones adecuadas: las decisiones de Dios. Quizá quieras buscar cada versículo en la versión o traducción de la Biblia que usas. Anota lo que cada versículo habla a tu corazón.

Desarrolla un carácter piadoso. *¡Es tu mejor adorno!*
«Se reviste de fuerza y dignidad, y afronta segura el porvenir» (Proverbios 31:25).

No sigas a la multitud. Tienes un estándar superior. «*Querido hermano, no imites lo malo sino lo bueno*» (3 Juan 11).

Busca la aprobación de Dios. «*Engañoso es el encanto y pasajera la belleza; la mujer que teme al Señor es digna de alabanza*» (Proverbios 31:30).

Ten cuidado con lo que te pones. Tu ropa envía un mensaje, así que asegúrate de saber cuál es. «*De pronto la mujer salió a su encuentro, con toda la apariencia de una prostituta y con solapadas intenciones*» (Proverbios 7:10-11).

Ponte algo adecuado para la ocasión. Recuerda, eres hija del Rey. Pablo enseñó lo siguiente: «*En cuanto a las mujeres, quiero que ellas se vistan decorosamente [...] con buenas obras, como corresponde a mujeres que profesan servir a Dios*» (1 Timoteo 2:9-10).

La respuesta de tu corazón

Piénsalo. Todos los días decides qué ponerte. Cada mañana te enfrentas a un dilema del corazón: ¿Colocarás a Dios en el centro de tu vida con algo tan sencillo y práctico como la vestimenta? ¿Procurarás agradarle? Con consideración y en oración, ¿elegirás ropa que honre a Dios y hable bien de Él? ¿Decidirás ponerte algo adecuado para alguien que profesa adorar a Dios?

Que tu vestimenta para impresionar a Dios se transforme en el deseo de tu corazón. Vístete para obtener la aprobación de sus ojos. Que tu ropa atraiga la atención de tu Salvador, tu piedad y tus buenas obras, de modo que Dios reciba honra (Mateo 5:16). La decisión de lo que te vas a poner no es poca cosa. ¡Es muy importante! Así que envía el mensaje adecuado.

¿Qué o quién establece tus pautas? En primer lugar, debes saber lo que dice la Biblia. Los versículos de este capítulo son una buena guía. Además, ora. Pregúntale a Dios qué desea... y comprométete a agradarle. Algunos buenos recursos son tu líder de jóvenes o su esposa, una cristiana adolescente mayor que admires o una cristiana universitaria que respetes. Pide su opinión. Y sí, es muy bueno preguntarle a tu mamá también. Luego, elige lo que te pondrás con cuidado y en oración. Puedes expresar algo poderoso si te vistes con un estilo fresco, puro e inocente. Puedes usar ropa linda, a la moda, limpia e impecable, de acuerdo a las pautas de Dios. Si te concentras en agradarle, en seguirlo a Él y a su Palabra, no tendrás problema.

Las chicas que ayudan a las chicas

✳ Anota tres evidencias de que Ana no le daba la importancia adecuada a su elección de la ropa.

-
-
-

✳ ¿Qué le dirías acerca de tomar mejores decisiones a la hora de vestirse?

✳ De los versículos de este capítulo, ¿cuál significó más para ti y por qué? ¿Cómo se lo transmitirías a Ana?

✳ ¿En qué te pareces a Ana? Si es necesario, ¿qué nuevas decisiones comenzarás a tomar en cuanto a tu armario?

«¡No tengo nada que ponerme!»

No tener «nada que ponerse» no es algo nuevo. Es más, «no tengo nada que ponerme» es una frase de *Sentido y sensibilidad*, publicado por Jane Austen en 1811. El rey Salomón escribió: «No hay nada nuevo bajo el sol» (Eclesiastés 1:9), ¡y por supuesto que es cierto!

¿Quieres saber más?
¡Averígualo!

✔ La verdadera belleza es un asunto del corazón. Lee 1 Pedro 3:3-4. ¿Qué principios se establecen y qué te llama más la atención?

✔ Responde a estas frases de 1 Pedro 3:4. (Puedes usar las de tu versión preferida de la Biblia). ¿Qué crees que significan, y cómo se aplican en tu caso?

- lo «íntimo del corazón» o el «yo interno» (NVI y LBLA)

- la «belleza incorruptible» (DHH)

- un «espíritu suave y apacible»

- de «mucho valor delante de Dios»

✔ En lo que se refiere a tu apariencia exterior, ¿cómo influye 1 Samuel 16:7 tu forma de pensar?

-

-

Las pautas de Dios para la toma de buenas decisiones

✳ *Desarrolla un carácter piadoso.* «Se reviste de fuerza y dignidad, y afronta segura el porvenir» (Proverbios 31:25).

✳ *Busca la aprobación de Dios en lugar de la del mundo.* «Engañoso es el encanto y pasajera la belleza; la mujer que teme al SEÑOR *es* digna de alabanza» (Proverbios 31:30).

✳ *Fíjate en lo que te pones. Tu ropa envía un mensaje.* «De pronto la mujer salió a su encuentro, con toda la apariencia de una prostituta y con solapadas intenciones» (Proverbios 7:10).

✳ *Ponte algo adecuado para la ocasión y para una hija del Rey de reyes.* «En cuanto a las mujeres, quiero que ellas se vistan decorosamente, con modestia y recato [...] con buenas obras, como corresponde a mujeres que profesan servir a Dios» (1 Timoteo 2:9-10).

✳ *No te preocupes por seguir a la multitud. Tienes principios más altos... ¡los de Dios!* «Querido hermano, no imites lo malo sino lo bueno. El que hace lo bueno es de Dios; el que hace lo malo no ha visto a Dios» (3 Juan 11).

¿Qué tienes en la boca?

Daniel se propuso no contaminarse
con la comida y el vino del rey.

DANIEL 1:8

Ana mira por la ventana de su habitación y nota que parece estar fresco afuera. *¡Perfecto! Mi abrigo liviano me tapará la ropa hasta llegar a la escuela.* Se lo pone y baja saltando los escalones hacia la cocina (con la ropa «prohibida» debajo del abrigo, por supuesto). Ya todos se fueron excepto su papá, quien está hundido en el periódico matutino, tomando la última taza de café antes de salir para el trabajo. Ana cuenta con la rutina normal de su papá: casi nunca levanta la vista. Va hasta el aparador, dándole la espalda, y dice con una voz muy alegre: «¡Hola, papá! Estoy atrasada, así que me llevo una tostada. No quiero perder el autobús. Parece que alguien hizo un desayuno riquísimo para todos. ¡Nos vemos!». Se vuelve enseguida y sale apurada por la puerta.

Era evidente que una tostada no aplacaría el hambre de Ana ni su requerimiento energético. Ya está pensando en comprarse algo de las máquinas expendedoras de la escuela. Entonces, se estremece al recordar un rumor de que la junta directiva está considerando prohibir las máquinas de dulces y bocadillos en las escuelas. Ana espera con todo su corazón que esto no suceda. ¡Ay, ella y sus amigas se morirán de hambre!

Eres lo que comes

¿Alguna vez has escuchado la expresión «eres lo que comes»? Ciertas personas pueden discutirlo, pero por experiencia propia sé que es verdad. Recuerdo bien cuando intentaba con desesperación obtener la energía que necesitaba de las comidas equivocadas. Tomaba gaseosas en abundancia y comía dulces y papas fritas todo el día. Además, devoraba galletas... ¡la masa cruda en especial! Estas elecciones alimenticias eran una solución rápida para mi afanosa vida de joven esposa y madre de dos hijas en edad preescolar. Sin embargo, al poco tiempo, acababa tirada en una silla, con la mente nublada y me preguntaba: *¿Qué me sucede? ¿Por qué no tengo energía?*

Al final, fui al médico pensando que tenía mononucleosis o que estaba anémica. Me sorprendió escuchar que el diagnóstico era «demasiada azúcar». Mi cuerpo no podía procesar todo el azúcar que recibía. Con razón estaba cansada, inactiva, somnolienta y necesitaba una siesta todos los días después del almuerzo. Era adicta a la comida chatarra y sufría de la «depresión del azúcar».

Es mejor comer a la manera de Dios

¿Te sorprende que Dios tenga mucho que decir sobre la comida? En su Palabra es muy específico. En la época del Antiguo Testamento, el Señor restringía los alimentos permitidos para su pueblo. (Puedes leer acerca de estas restricciones en el libro de Levítico). ¿Por qué el Dios del universo se tomó el tiempo para darle a su pueblo reglas detalladas sobre la alimentación?

En primer lugar, había razones médicas. En esos tiempos, la gente no sabía cómo surgían ni se transmitían las enfermedades, así que comían cualquier cosa, a veces sin siquiera cocinarlas. Al seguir las reglas estrictas de Dios, los israelitas gozaban de buena salud y eran más productivos.

En segundo lugar, al seguir las pautas divinas para el alimento, los israelitas se separaban de los que no conocían ni seguían a Dios. Eran «diferentes». Sus restricciones alimenticias evitaban que se mezclaran y quedaran atrapados por las culturas que los rodeaban, las cuales adoraban a dioses falsos.

En tercer lugar, aunque hayan pasado varios miles de años, la vida no ha cambiado en algunos aspectos. Los científicos y los médicos están descubriendo lo que Dios ya sabía y les transmitió a su pueblo hace mucho tiempo. No toda la comida es buena para nosotros. Además, la manera en que se procesa y se cocina es clave para la buena salud y la energía.

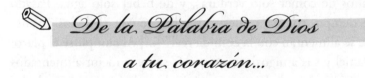

De la Palabra de Dios
a tu corazón...

En la Biblia aprendemos acerca de Daniel, un adolescente como tú. Cuando a la nación de Israel la capturaron en la batalla, Daniel tuvo que ir a una tierra extranjera como esclavo. Tendría que vivir y actuar de acuerdo a distintas normas; incluso, en el aspecto de la comida. Averigua las decisiones que tomó, a medida que leas estos pasajes. Anota qué harías o cómo te sentirías si estuvieras en el lugar de Daniel.

El dilema de Daniel: «El rey les asignó [a Daniel y otros jóvenes] raciones diarias de la comida y del vino que se servía en la mesa real» (Daniel 1:5). Recuerda, esto era en una tierra lejana, así que la comida y su preparación no estaban de acuerdo con las reglas de Dios.

La determinación de Daniel: «Daniel se propuso no contaminarse con la comida y el vino del rey, así que le pidió al jefe de oficiales que no lo obligara a contaminarse» (versículo 8). ¿Crees que como esclavo era peligroso que Daniel cuestionara lo que se le ponía en el plato y se negara a comer? ¿Qué harías en su lugar?

La declaración de Daniel: «Daniel habló con ese guardia y le dijo: "Por favor, haz con [nosotros] una prueba de diez días. Danos de comer solo verduras, y de beber solo agua. Pasado ese tiempo, compara nuestro semblante con el de los jóvenes que se alimentan con la comida real" [...] Al cumplirse el plazo, [Daniel y sus amigos] se veían más sanos y mejor alimentados que cualquiera de los que participaban de la comida real. Así que el guardia les retiró la comida y el vino del rey, y en su lugar siguió alimentándolos con verduras» (vv. 11-16). Fíjate en la alternativa que le ofreció Daniel para resolver el dilema y cuáles fueron los resultados.

La decisión del rey: «Cumplido el plazo fijado por el rey Nabucodonosor [...] Luego de hablar el rey con Daniel, Ananías, Misael y Azarías, no encontró a nadie que los igualara, de modo que los cuatro entraron a su servicio» (vv. 18-19). Observa cómo Dios honró las decisiones de Daniel y sus amigos.

Come para glorificar a Dios

Tal vez te preguntes: *¿Quieres decir que puedo honrar y glorificar a Dios incluso con lo que como?* La respuesta es *sí*. Eso fue justo lo que sucedió con Daniel y sus tres amigos. Decidieron cuidarse de lo que comían y honraron a Dios y sus principios. Al final, Dios bendijo a estos cuatro adolescentes. El versículo 17 dice: «A estos cuatro jóvenes Dios los dotó de sabiduría e inteligencia para entender toda clase de literatura y ciencia. Además, Daniel podía entender toda visión y todo sueño». Y el versículo 20 afirma: «El rey los interrogó, y en todos los temas que requerían de sabiduría y discernimiento los halló diez veces más inteligentes que todos los magos y hechiceros de su reino».

Si pasamos al Nuevo Testamento, otro pasaje que enfatiza la alimentación como proceso espiritual es 1 Corintios 10:31: «Ya sea que coman o beban o hagan cualquier otra cosa, háganlo todo para la gloria de Dios». Sí, es posible comer de manera que honres y exaltes al Señor. Todos los días le damos gloria a Dios cuando decidimos seguir sus reglas para una mejor alimentación, la cual lleva a una mejor manera de vivir... a la manera de Dios.

Primera regla: Come los alimentos adecuados. Come de forma saludable. Es la decisión que tomaron Daniel y sus amigos. Decidieron comer lo que les daba la mejor salud, fuerza, energía y resistencia. No es necesario tener un diploma en ciencia o nutrición para saber que no es bueno desayunar dulces. Ni que un bocadillo de la máquina expendedora no es en general muy nutritivo. En el caso de Ana, sus malas elecciones alimenticias surgieron cuando se levantó tarde y perdió el desayuno que le prepararon sus padres. (Sí, hay muchas malas decisiones que pueden atribuirse a no levantarse a la hora debida).

La decisión de comer en forma regular alimentos adecuados tiene dos beneficios principales. El primero es *físico*. Te sentirás mejor. (Créeme, conozco bien la diferencia de lo que significa comer bien). El segundo es *financiero*. ¿Cuánto cuesta la comida chatarra? Ana gastaba la mayor parte de su mesada en bocadillos, y esto no le dejaba dinero para cosas más importantes, como la ofrenda en la iglesia, el ahorro para cuestiones personales o los regalos. (Ahora que recuerdo, Ana todavía le debe cinco dólares a María por los bocadillos que «necesitaba» cuando se le acabó su mesada la semana anterior).

Comer bien te dará la fuerza y la energía para cumplir los planes de Dios para tu día, y te ahorrará dinero. ¡Todos salen ganando!

Segunda regla: Come lo suficiente. Comer de más es un gran problema hoy en día. En general, tenemos tanto dinero y comida que es fácil caer en malos hábitos alimenticios. No obstante, sin importar cuánto tengamos, Dios dice que comamos lo suficiente, lo necesario (Proverbios 30:8). En otras palabras, no comas demasiado. ¿Por qué? No glorificamos a Dios si nos falta dominio propio. La Biblia dice que el que come demasiado es un «glotón» y condena sus acciones al igual que la bebida excesiva. Las dos cosas hacen que las personas terminen «en la pobreza» (Proverbios 23:21).

Toma mejores decisiones alimenticias

Todos los días tienes la gran oportunidad de tomar mejores decisiones. Cada mañana puede transformarse en el momento de tomar la determinación de alejarse de los malos hábitos y adoptar alternativas más saludables. Hoy puedes tomar una decisión que te cambie la vida. Si la comida es un problema para ti, considera dar los siguientes pasos... hoy.

Primer paso: *Comprende que tu cuerpo le pertenece a Dios.* «¿Acaso no saben que su cuerpo es templo del Espíritu Santo, quien está en ustedes y al que han recibido de parte de Dios? Ustedes no son sus propios dueños; fueron comprados por un precio. Por tanto, honren con su cuerpo a Dios» (1 Corintios 6:19-20).

Segundo paso: *Reconoce que la sobrealimentación es un pecado,* al igual que el enojo, el robo o la mentira.

Tercer paso: *Reconoce si tienes un problema de sobrealimentación.* (La identificación de un problema es la mitad de su solución).

Cuarto paso: *Comprende que puedes pedirle ayuda a Dios.* En general, la sobrealimentación es tanto un problema espiritual como físico. Dios quiere y puede ayudar.

Quinto paso: *Recluta la ayuda de los demás.* Ríndeles cuentas a las amigas o a un adulto que respetes a fin de tomar mejores decisiones alimenticias. Para empezar, intenta hablar de este problema con tu mamá. Nadie te ama más que tu mamá y tu papá. Y es probable que tu mamá represente un inmenso papel cuando se trata de comprar alimentos, ponerlos en la cocina y servirlos en el hogar.

Sexto paso: *La alimentación involucra decisiones personales.* Nadie te pone un arma en la cabeza a la hora de comer. Tomas estas decisiones a diario. Tienes el control sobre cada una de ellas:

- Come solo cuando tengas hambre.
- Come solo después de orar.
- Come solo una porción.
- Come medias porciones.
- Come en un plato pequeño.
- Come a un horario normal, que te proporcione verdadera energía.

Séptimo paso: *Si no comes lo suficiente, acéptalo.* Muchos adolescentes (¡y adultos también!) no comen lo suficiente. Algunos se mueren de hambre literalmente. Para servir a Dios, hacer lo que Él desea y ayudar a los demás es necesario tener buena salud y energía. Una buena nutrición en cantidades adecuadas te proporciona salud, vitalidad y resistencia para lidiar con las exigencias de cada día. Además, te da la estabilidad física y el equilibrio mental que te permiten afrontar los sentimientos y pensar con claridad cuando surgen crisis.

La respuesta de tu corazón

Es una batalla comer bien (las mejores comidas, con los mejores nutrientes, en las cantidades adecuadas). Para mí también es difícil. La mayoría de nosotros pelea a cada momento la «Batalla del Saliente»[1]. Todos los días debemos tomar muchas veces la decisión de qué comer y qué no comer. Es probable que a cada hora, e incluso a cada minuto, nos enfrentemos a tener que decidir cuándo, dónde, qué y cuánto comer. Sin embargo, Dios nos llama a un estilo de vida de dominio propio (Gálatas 5:23), moderación (1 Timoteo 2:9) y sabiduría (Colosenses 4:5), aun en el aspecto de la comida que nos llevamos a la boca. ¿Quieres honrar a Dios, distinguirte para Él y ayudar a los demás? ¡Seguro que sí! Pídele ayuda para tomar buenas decisiones a la hora de comer.

Las chicas que ayudan a las chicas

✳ Anota varias malas decisiones que haya tomado Ana en cuanto a la comida.

✳ ¿Qué le dirías a Ana que cambiara para mañana?

❋ De los versículos de este capítulo, ¿cuál significó más para ti y por qué? ¿Cómo le explicarías este principio a Ana?

❋ ¿En qué te pareces a Ana? Si necesitas tomar nuevas decisiones, ¿cuáles son? ¿Qué harás primero?

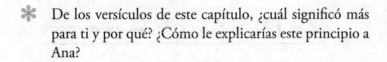

¿Quieres saber más?
¡Averígualo!

✔ Aquí tienes otros versículos y principios sobre lo que nos llevamos a la boca. Anota los pasajes y cómo se aplican a ti y a tus decisiones.

Romanos 14:17:

1 Corintios 6:19-20:

1 Corintios 10:23:

1 Corintios 10:31:

Gálatas 5:23:

Las pautas de Dios para la toma de buenas decisiones

✳ *Hazlo todo para la gloria de Dios, incluso a la hora de comer.* «En conclusión, ya sea que coman o beban o hagan cualquier otra cosa, háganlo todo para la gloria de Dios» (1 Corintios 10:31).

✳ *Bocado a bocado, dale a Dios el control de tu consumo de alimentos y tu apetito.* «El fruto del Espíritu es [...] dominio propio» (Gálatas 5:22-23).

✳ *Come solo lo que mejore tu vida.* «"Todo me está permitido", pero no todo es para mi bien. "Todo me está permitido", pero no dejaré que nada me domine» (1 Corintios 6:12).

✳ *No dejes que la inactividad te quite las fuerzas.* «El perezoso mete la mano en el plato, pero es incapaz de llevarse el bocado a la boca» (Proverbios 19:24).

✳ *Acude a Cristo en busca de ayuda para evitar comer de más o de menos.* «Revístanse ustedes del Señor Jesucristo, y no se preocupen por satisfacer los deseos de la naturaleza pecaminosa» (Romanos 13:14).

¿Qué sale de tu boca?

Sean, pues, aceptables ante ti mis palabras y mis pensamientos, oh SEÑOR.

SALMO 19:14

Por fin, Ana sale de la casa... con atraso y corriendo hacia la parada del autobús. No es la primera vez que corre por este camino, y hoy no es la excepción. Al fin, salta al primer escalón del autobús y sube antes de que se cierre la puerta. «¡Uf, lo logré otra vez!» Agita su pase de estudiante delante del conductor enfadado, quien soporta las proezas de Ana todos los días.

Se dirige a la parte trasera, donde siempre se sientan sus amigas de la escuela. «¡Hola!», dice y se deja caer en medio de las chicas, que apenas si responden a su saludo. ¿Por qué? Porque están absortas en enterarse de los últimos chismes y pasárselos a las demás. *¡Qué bien!*, piensa Ana y se une con ganas a la charla. Sin duda, ¡está como pez en el agua!

«¿Te enteraste?...», comienza una de las chicas y empieza a chismear. Otra chica interrumpe: «Yo escuché otra cosa». Con rapidez, Ana agrega lo que sabe a los demoledores chismes, y las chicas critican a todo el mundo: las actividades, la ropa, las decisiones, la reputación y los logros de las personas. No hay temas prohibidos, sean buenos, malos y... en especial... desagradables.

La verdad acerca del chisme

La palabra *chisme* no parece demasiado terrible, ¿verdad? La busqué en el diccionario que lo describe como «una conversación informal sobre otras personas». Eso tampoco es tan terrible. Sin embargo, ¿qué me dices de otra palabra? ¿Qué te viene a la mente cuando escuchas *calumnia*? Un calumniador es «alguien que hace una afirmación falsa o dañina sobre la reputación de otra persona». Ahora bien, eso es distinto por completo. Aun así, la calumnia y el chisme pueden estar muy relacionados, y puede ser difícil distinguirlos.

La Biblia contiene una lista de cualidades admirables para las mujeres cristianas de todas las edades. En Tito 2:3-4, leemos que las mujeres mayores deben usar lo que saben para «aconsejar a las jóvenes». Una de esas lecciones de vida es «que no sean calumniadoras» (RV-95). Esto significa que el chisme y la calumnia *no* son cualidades piadosas y, por lo tanto, están prohibidas para ti y para mí porque somos cristianas. A ciencia cierta, es difícil no chismear, pero el chisme no debe tener lugar ni parte en nuestra vida.

La palabra *calumniador* se usa muchas veces en la Biblia, y tiene un significado aterrador. Viene de la palabra latina *diabolos*, que significa un chisme malicioso o un falso acusador. La palabra se usa treinta y cuatro veces (¡sí, treinta y cuatro!) en el Nuevo Testamento como un título de Satanás. También se usa para describir a Judas, el discípulo que traicionó a Jesús, y a quien Él llamó «un diablo» (Juan 6:70). Además de estas referencias, *calumniador* se usa en Tito 2:3 y en 1 Timoteo 3:11 en referencia a las mujeres y significa, literalmente, «diablas».

No es una buena compañía, ¿no es así? No es un pensamiento agradable que te agrupen con Satanás, Judas y las mujeres calumniadoras o «diablas». Incluso Ana se sentiría avergonzada de chismear si se diera cuenta de que actuó como una diabla al calumniar a los demás.

De la Palabra de Dios
a tu corazón...

Es triste que la Biblia nos muestre a muchas mujeres que participaron en la destrucción de otros mediante el chisme impío y sin obstáculos. Marca los siguientes versículos a medida que descubras más sobre el chisme y la calumnia. Toma nota de lo que te llama la atención de cada mujer. ¿Qué aprendiste y cómo puedes poner en práctica los principios en tu vida?

La esposa de Potifar: Calumnió y acusó con falsedades a José, que era honrado. (Lee los detalles en Génesis 39:7-20). «José tenía muy buen físico y era muy atractivo. Después de algún tiempo, la esposa de su patrón [...] le propuso: —Acuéstate conmigo. Pero José no quiso saber nada [...] Entonces le contó [a su esposo] la misma historia [falsa] [...] [y] el patrón de José [...] mandó que echaran a José en la cárcel». ¿En resumidas cuentas? Las mentiras de la esposa de Potifar le costaron a José tres años en la cárcel.

Jezabel: Esta mujer influyente armó una situación para incriminar de manera injusta a Nabot, un hombre temeroso de

Dios. (Lee los detalles en 1 Reyes 21:5-14). Por órdenes de Jezabel, «llegaron [...] dos sinvergüenzas [...] y lo acusaron ante el pueblo, diciendo: "¡Nabot ha maldecido a Dios y al rey!".». Como resultado, la gente lo llevó fuera de la ciudad [a Nabot] y lo mató a pedradas». ¿En conclusión? Las mentiras ocasionaron la muerte de Nabot.

Marta: Es lamentable, pero Marta habló mal de su hermana y del Señor. (Lee el escenario en Lucas 10:38-42). En una frase, clamó contra Jesús, dudando de su amor y su cuidado, y acusó a su hermana María: «Señor, ¿no te importa que mi hermana me haya dejado sirviendo sola?». ¿La verdad? María ayudó a Marta con las tareas... hasta que Jesús comenzó a enseñar. Y al Señor les importa sus seguidores... ¡todos!

Apunta a un vocabulario piadoso

Es evidente que el «vocabulario piadoso» va mucho más allá de no chismear. También incluye la decisión de no mentir, decir malas palabras, chistes verdes, ni usar palabras sugestivas de índole sexual o «lenguaje obsceno» (Colosenses 3:8). Sin embargo, ahora nos concentramos en el chisme porque a veces puede parecer inofensivo. Además, todos lo practican.

El chisme *siempre* tiene un efecto negativo. Espero que las definiciones e ilustraciones horribles que te mostré te impresionen tanto como a mí. Y como estás leyendo este libro, estoy segura de que deseas seguir el llamado de Dios al vocabulario piadoso. Durante mucho tiempo, no pude evitar el chisme. Después, me enteré de la verdad sobre el mismo. Entonces, comencé a poner en práctica el mandamiento de Dios de abandonar toda malicia y calumnia (Efesios 4:31). No fue fácil, y todavía me cuesta, pero estoy comprometida a esforzarme todos los días. ¡Me ha cambiado la vida!

¿Qué me dices de ti? ¿Estás preparada para apuntar a un vocabulario piadoso? Si es así, hazte estas preguntas y considera las alternativas y las soluciones. En las páginas de notas personales, al final del libro, anota qué haces para proteger tu forma de hablar y glorificar a Dios.

Primera pregunta: ¿Cómo puedo evitar el chisme? Pon en práctica las siguientes tácticas. ¡Dan resultado!

* *Piensa lo mejor de los demás.* Da por sentado lo mejor de la manera de actuar de otros. Pon en práctica las pautas de Filipenses 4:8 sobre lo que escuchas de los demás. «Consideren bien todo lo verdadero, todo lo respetable, todo lo justo, todo lo puro, todo lo amable, todo lo digno de admiración, en fin, todo lo que sea excelente o merezca elogio».

* *Habla con tus amigas sobre el chisme y hagan un pacto para no volver a hacerlo.* Comunícales a las personas más cercanas a ti tu deseo de crecer en este aspecto. Cuando tropieces, pídeles que te lo digan.

* *Ten cuidado en los lugares donde siempre hay chisme.* Las actividades como fiestas, pasar la noche en casa de una amiga, grupos que se reúnen en el vestíbulo de la escuela o a la hora del almuerzo y conversaciones telefónicas son un marco ideal para el chisme.

* *Evita a las chicas chismosas.* Hay algunas muchachas que chismean con regularidad y saben cómo hacer que otros, incluso tú, menosprecien a los demás. ¡Mantente alejada!

❋ *Nunca des nombres.* ¿Por qué? Porque cuando cuentas una historia, aunque sea buena, sobre alguien y dices de quién se trata, te arriesgas a que alguien diga: «El otro día, [tu nombre] estuvo hablando de tal y cual cosa». En general, la historia se distorsiona al pasar de boca en boca.

❋ *No digas nada.* Si mantienes la boca cerrada, es difícil chismear. ¿Alguna vez escuchaste el dicho: «Es mejor callar y parecer tonto que abrir la boca y demostrar que lo eres»? Bueno, ¡no digas nada! Tendrás una gran ventaja.

Segunda pregunta: ¿Qué puedo hacer para eliminar el chisme de mi vida? Te ayudará si piensas en estas cinco pautas.

❋ *Tiempo*: El tiempo ocioso crea oportunidades para el chisme.

❋ *Restringe tu calendario*: Pasa menos tiempo sin hacer nada con amigos. Que siempre puedas estar dirigiéndote a alguna parte: a clase, a almorzar, a trabajar o a casa, a fin de evitar detenerte y quedar atrapada en el tejido de la red del chisme de otra persona.

❋ *Teléfono*: Cuidado con hablar de cualquier cosa por teléfono. Cuando hables, comienza diciendo algo como: «Solo tengo unos minutos». Al igual que nuestra amiga Ana, ya hablaste con tus amigos ese día y volverás a verlos y hablar con ellos mañana. Así que limita tu tiempo en el teléfono. Te mantendrá fuera de problemas.

❋ *Conversación*: Cuando converses, no hables demasiado. Como dice un proverbio: «El que mucho habla, mucho yerra; el que es sabio refrena su lengua» (Proverbios 10:19). Sé sabia y habla menos.

* *Espera*: No te apresures a dar tu opinión. No hace falta que respondas con rapidez todo lo que te preguntan. A veces, las respuestas rápidas te meten en problemas. Ten la libertad de pedir tiempo para pensar y orar antes de responder, si es que deseas hacerlo. Proverbios 29:20 dice: «¿Te has fijado en los que hablan sin pensar? ¡Más se puede esperar de un necio que de gente así!».

Tercera pregunta: ¿Cómo puedo hacer cambios permanentes en mi manera de hablar? Recuerda estas verdades y tácticas esenciales.

* *Recuerda la fuente de la calumnia*: El diablo.

* *Comprende la causa de la calumnia*: El odio, los celos, la envidia.

* *Elige con cuidado tus amigos*: Busca amigos que solo tengan buenas cosas que decir de los demás.

* *Elige con cuidado tus actividades*: Cuida cuánto hablas por teléfono, cuánto estás con tus amigos o te quedas en la cafetería de la escuela.

* *Sé generosa con los elogios*: Que te conozcan por ser la chica que es amiga de todos. Gánate la reputación de ser alguien que mira lo bueno de las personas, que ama a los demás y que solo habla bien de la gente.

* *Ora*: Debes orar por tu forma de hablar y también por los que te hieren. De esta manera, le cuentas tus problemas a la persona adecuada (Dios) y no a todos los demás. Su tarea es encargarse de los que te lastiman

(Romanos 12:19). La tuya es orar y perdonar.

* *Trata el chisme como pecado*: Identifícalo por lo que es y confiésalo como un pecado a Dios (1 Juan 1:8-9).

Palabras lamentables

En mi vida, he dicho algunas cosas que lamento. Una de las que más lamento involucra a una chica que casi ni conocía. Mientras estaba con unas amigas en una fiesta de pijamas, comencé a chismear sobre ella: hablé a sus espaldas y dije cosas que no eran ciertas. Con el tiempo, se enteró y perdí la oportunidad de ser su amiga. Intenté arreglar las cosas, pero nunca más me dirigió la palabra.

Fue una bajeza de mi parte intentar impresionar a mis amigas chismeando sobre una persona inocente. Proverbios 3:29 dice que no debería dañar a los que me rodean. Cuando chismeé sobre esta chica, la herí... y también herí a Dios. Él creó a esta persona de manera especial, y al burlarme de ella, fue como decirle a Dios: «No es lo bastante buena para mí». ¿Cómo podemos hacer algo así si esa persona es suficientemente buena para Dios?[1]

MEGAN

La respuesta de tu corazón

Una de las decisiones más importantes que tomas es la de controlar tu boca. Si puedes controlar la lengua, la Biblia dice que serás «una [mujer] perfecta, capaz también de controlar todo [tu] cuerpo» (Santiago 3:2). ¡Qué maravilloso objetivo! Y como en todo, la decisión es tuya. Puedes calumniar a los demás... o puedes amarlos.

Si tienes un corazón de amor (para el Señor, su Palabra, su pueblo y los demás), no chismearás. El chisme y la calumnia contaminan la boca e interfieren con el objeto de su creación: glorificar a Dios. Te aliento a comenzar ahora. Mantente fiel al corazón de Dios. Brilla de manera espléndida como una chica que habla con verdad y amabilidad. Si lo haces, serás una mujer excepcional de verdad todos los días de tu vida.

Las chicas que ayudan a las chicas

✳ Anota varias malas decisiones que tomó Ana y que la llevaron a chismear o a formar parte del chisme.

✳ ¿Cómo le explicarías a Ana el problema del chisme? ¿Qué le dirías que haga diferente mañana? ¿Cómo la ayudarías?

✳ De los versículos de este capítulo, ¿cuál significó más para ti y por qué? ¿Cómo se lo transmitirías a Ana?

✳ ¿En qué te pareces a Ana? Si necesitas tomar nuevas decisiones, ¿qué harás primero para controlar lo que sale de tu boca?

¿Quieres saber más?
¡Averígualo!

✔ Lee Santiago 3:5-12.

¿Cómo se describe la lengua en los vv. 5-8?

✔ Busca las causas del chisme y responde las preguntas a medida que tomes en serio estas «causas» pecaminosas.

Un corazón perverso: Según Lucas 6:45, ¿cuál es la causa del vocabulario perverso?

Y según Mateo 15:18-19, ¿cuál es la causa del vocabulario y las obras perversas?

El odio: ¿A quién (o qué) atribuyó David sus tribulaciones en el Salmo 109:3?

La insensatez: Proverbios 10:18 es muy directo. ¿Qué transmite a tu corazón?

El ocio: ¿Qué dice 1 Timoteo 5:13 sobre el ocio?

¿Qué efecto tuvo el ocio en las jóvenes de las que habla este versículo?

✔ *Algo extra*: ¿Qué te enseñan estos pasajes acerca del chisme?

Proverbios 11:13:

Proverbios 12:18:

Proverbios 16:28:

Proverbios 20:19:

Proverbios 31:26:

Tres categorías de chisme

El chisme malicioso. Esta clase de chisme es hiriente de manera consciente y deliberada. Está basado en la envidia y arraigado en un egoísmo flagrante. Está diseñado para romper relaciones y destruir amistades. Y puede manifestarse en toda clase de malas obras.

La racionalización. La racionalización es mucho más sutil que el chisme malicioso. El gran peligro es que a menudo surge del autoengaño. Arraigada y apoyada en las mismas motivaciones que el chisme malicioso, la persona que racionaliza se convence de que lo hace por «el bien» del otro. Tal vez se disfrace como un «interés para orar» y una «preocupación personal». Sin embargo, la racionalización es muy destructiva.

El chisme «inocente». Esto supone una persona que en verdad está preocupada, pero que a la vez es poco prudente e insensible a los sentimientos de los demás. A veces, la motivación del chisme inocente es un deseo de «ayudar», pero el que chismea quizá intente probarles en realidad a los demás lo útil que es en verdad. En esta situación, hay una línea muy delgada entre las motivaciones «egoístas» y «generosas». Todos los cristianos debemos ser conscientes de esta clase de chisme[2].

Las pautas de Dios para la toma de buenas decisiones

* *Controla tu carácter.* «Como ciudad sin defensa y sin murallas es quien no sabe dominarse» (Proverbios 25:28).

* *Controla tu boca y controlarás tu vida.* «El que refrena su boca y su lengua se libra de muchas angustias» (Proverbios 21:23).

* *Compromete tu boca al buen uso.* «Eviten toda conversación obscena. Por el contrario, que sus palabras contribuyan a la necesaria edificación y sean de bendición para quienes escuchan» (Efesios 4:29).

* *Entrégale tu boca a Dios.* «Sean, pues, aceptables ante ti mis palabras y mis pensamientos, oh Señor, roca mía y redentor mío» (Salmo 19:14).

* *Comprende que puedes hacer mucho daño con la boca.* «Así también la lengua es un miembro muy pequeño del cuerpo, pero hace alarde de grandes hazañas. ¡Imagínense qué gran bosque se incendia con tan pequeña chispa!» (Santiago 3:5).

Elige el camino hacia el éxito

Jesús siguió creciendo en sabiduría y estatura, y cada vez más gozaba del favor de Dios y de toda la gente.

LUCAS 2:52

Por fortuna, la sesión de chismes de Ana termina de repente cuando el autobús entra al campus de la escuela. Con el ánimo por el suelo, Ana se da cuenta de que terminó la mejor parte de su día. Ahora viene la parte temida... *la escuela*.

«Uf. Qué lata. ¡Detesto la escuela! ¿Y para qué necesito venir?», gime y se lamenta Ana. «No quiero ir a la universidad, ¿así que cuál es el problema? Entonces, ¿qué tal si holgazaneo en clase y hago solo lo aceptable? Eso no es importante».

Ana sigue soñando: «Si puedo pasar raspando para graduarme de la escuela, todo estará bien. Puedo conseguir un trabajo, mi propio apartamento, pasar mi tiempo libre con amigos haciendo lo que quiera y pasarla de maravilla. ¿Quién necesita la escuela?

»Aun así, supongo que hace falta soportar otro día aquí. Bueno, ¡hay un lado positivo! Todos mis amigos piensan lo mismo que yo». Un poco aliviada, Ana entra a la escuela. Suspira. «¡Desgracia compartida, menos sentida!», murmura.

Una dosis de realidad

Mi esposo, Jim, a menudo cuenta la historia de cómo los adolescentes de su ciudad natal luchaban con estas cuestiones de la importancia de la escuela. La ciudad tenía una planta industrial muy grande que contrataba a muchos de los habitantes. Cada año, un gran número de graduados del instituto comenzaba a trabajar en la fábrica de neumáticos. La mayoría de los amigos de Jim contaban con estos trabajos para quedarse en la zona, tener una vida más sencilla y obtener un sueldo bastante bueno. Para ellos, un trabajo en la fábrica era el camino hacia el éxito.

Al igual que sus compañeros, Jim se dirigía en esa dirección. Hacía solo lo necesario en la escuela, sin interesarse por aprender. Entonces, un farmacéutico de la zona se interesó en él y lo contrató. En los próximos años en la farmacia, Jim quitó la mirada de la fábrica de neumáticos y empezó a concentrarse de verdad en sus estudios para poder ser farmacéutico... cosa que hizo.

Aquí está la parte triste de la historia: La planta de neumáticos cerró un año después que Jim se graduara de la universidad. Muchos de sus amigos de la escuela, así como la mitad de la población, se quedaron sin trabajo. Y como la mayoría de los jóvenes no habían hecho planes ni se habían esforzado en la escuela, sus perspectivas para el futuro se estrellaron contra las rocas de la realidad.

De la Palabra de Dios a tu corazón...

Dios nos creó con mentes... mentes más complejas y poderosas que cualquier computadora. Y Él espera que las desarrollemos. Toma un bolígrafo o lápiz y analiza estos versículos. Anota lo que piensas sobre cómo pueden ayudarte a desarrollar una mejor actitud hacia el aprendizaje y la escuela.

> *Escuchen, hijos, la corrección de un padre; dispónganse a adquirir inteligencia* (Proverbios 4:1).

> *Adquiere sabiduría, adquiere inteligencia [...] La sabiduría es lo primero. ¡Adquiere sabiduría! Por sobre todas las cosas, adquiere discernimiento* (Proverbios 4:5, 7).

> *Hagan lo que hagan, trabajen de buena gana, como para el Señor y no como para nadie en este mundo* (Colosenses 3:23).

Veamos la educación y el conocimiento de Jesús.

> *Cuando cumplió doce años [...] [Los padres de Jesús] lo encontraron en el templo, sentado entre los maestros, escuchándolos y haciéndoles preguntas. Todos los que le oían se asombraban de su inteligencia y de sus respuestas* (Lucas 2:42, 46-47).

*Jesús siguió creciendo en sabiduría y estatura, y cada
vez más gozaba del favor de Dios y de toda la gente*
(Lucas 2:52).

Ahora, escribe una breve historia de tu desarrollo, crecimiento y aprendizaje.

La importancia del hoy

No te aliento a pasar los próximos diez años de tu vida ence-
rrada en tu habitación con la cabeza entre los libros. Sin embargo, espero que comprendas la importancia de aprender el máxi-
mo todos los días. Cada día de aprendizaje es un paso hacia el
camino del éxito: el camino hacia las contribuciones positivas
para la sociedad y para la vida de las personas, hacia la utilidad,
las opciones en la vida y la posibilidad de ganar y ahorrar dinero.
Los buenos hábitos y las disciplinas que desarrolles en los próximos años sentarán la base para el resto de tu vida. Hoy y cada día
puedes decidir crecer en el conocimiento de las cosas de Dios
y en el saber y los medios esenciales para una vida productiva.

Créeme, ¡no sabes lo que traerá el futuro! No sabes qué ne-
cesitarás más adelante con respecto a la educación, la formación
y las habilidades. Cuando estaba en el instituto, lo único que
quería era enseñar administración de oficina. Me encantaban
mis clases de ese tema y quería darles a los demás lo que mis
profesores me daban a mí. No era un as en la materia. Me costaba obtener calificaciones medianamente buenas y tenía que hacer un verdadero esfuerzo para obtener calificaciones excelentes.

Así que quería ayudar a otros como yo a enamorarse de algo útil y divertido, algo que pudieran usar a diario para ganarse la vida.

Con el tiempo, usé mis estudios pedagógicos... ¡pero fue para enseñar la Biblia! Y solo con el tiempo usé mi preparación para escribir a máquina... a la hora de escribir libros. Además, solo con el tiempo, mis otras habilidades de oficina me ayudaron a dirigir la organización de nuestro ministerio. Amiga, *solo con el tiempo comprenderás el alcance de Dios para tus habilidades y tus pasiones*, que se revelarán y crecerán a medida que te esfuerces para ser una estudiante fiel.

Entonces, ¿por qué no reconocer la importancia que esto tiene hoy mismo? Aprovecha el presente... todos los días... y cualquier oportunidad que tengas de crecer y aprender. No malgastes estos años críticos... años que pueden llevarte con paso seguro por el camino del éxito. ¿Adónde te diriges? ¿Cuál crees que será el resultado?

* Las *buenas decisiones* de hoy te dan la libertad de elegir excelentes oportunidades mañana.

* Los *buenos hábitos* de hoy te dan una mayor disciplina para aceptar mayores desafíos mañana.

* Las *buenas actitudes* de hoy te prepararán para correr mejor la carrera y ganar un premio mejor mañana (1 Corintios 9:24).

Murió mientras aprendía

En la tumba de un conocido científico se grabaron las siguientes palabras: «Murió mientras aprendía». Bueno, debo decirte que ese mensaje me causó una tremenda impresión. Me impactó tanto que he intentado seguir el ejemplo de este hombre y transformarme en una persona que aprenda toda la vida.

¡Esta actitud ha hecho que mi vida sea mucho más interesante y emocionante! Espero que tú también puedas transformarla en tu lema y tu objetivo.

Es lamentable que haya adolescentes como nuestra amiga Ana, cuyo lema es «¡Prefiero morir antes que aprender!». No les gusta ningún tipo de escuela (ni siquiera la Escuela Dominical) y no ven la hora de que llegue la graduación para poder empezar a «vivir de verdad». Al igual que Ana, hacen solo lo necesario en la escuela y con su tarea, y no se esfuerzan demasiado. Es triste, pero el día de mañana despertarán y descubrirán que tienen muy pocas opciones para trabajar o estudiar. ¿Por qué? Porque no desarrollaron las habilidades ni las disciplinas que requieren los desafíos y los cambios del futuro.

«Sí, ya lo sé. No soy muy buena estudiante. Lo intento, pero nunca me va bien». ¿Es eso lo que piensas? Bueno, ¡hay esperanza para ti! Hay dos clases de aprendizaje: el aprendizaje formal y el informal.

El *aprendizaje formal* surge de los libros de textos y, en la mayoría de los casos, dentro de las cuatro paredes de un salón de clases, ya sea en la escuela o en casa. Los estudiantes no tienen muchas opciones con esta clase de aprendizaje. Aprenden lo que dicta el sistema escolar o, si te educan en tu casa, lo que tus padres exigen y lo que establece el estado. Aunque sea una lucha, esfuérzate y aprende porque la educación formal es necesaria para las habilidades de la vida y los buenos trabajos.

Tu esfuerzo en el aprendizaje formal te dará los cimientos y la disciplina para el *aprendizaje informal*: para los asuntos que *decidas* explorar fuera del aula. Además, te darán una idea de lo que quieres seguir el resto de tu vida. El estudio informal tiene menos que ver con la capacidad y está más relacionado con los intereses y los deseos personales. ¡Las opciones son ilimitadas!

¿Recuerdas cómo se interesó un farmacéutico en mi esposo, Jim? Bueno, de manera informal, Jim aprendió sobre la atención médica, los medicamentos, la química y las ventas al por menor. El farmacéutico profesional era un maestro dispuesto y Jim tenía muchas ansias de aprender. Ese aprendizaje informal definió el futuro de Jim, y su éxito, durante muchos años.

No tienes por qué aterrorizarte cuando alguien te dice que la educación es importante. Hay muchas maneras de aprender. Míralo de esta manera:

- ❋ *El aprendizaje es una actitud* que involucra el corazón y la cabeza.

- ❋ *El aprendizaje es acumulativo* y parte de sí mismo.

- ❋ *El aprendizaje no depende de tu coeficiente intelectual,* sino de tu deseo.

- ❋ *El aprendizaje no tiene límites* excepto los que tú misma te pones.

- ❋ *El aprendizaje no requiere estatus social ni dinero.* Es gratuito para cualquiera que desee expandir su conocimiento.

- ❋ *El aprendizaje tiene recompensas.* Los premios son ilimitados.

- ❋ *El aprendizaje tiene una prioridad suprema.* Quieres conocer más acerca de Jesucristo (2 Pedro 3:18).

Estudia toda la vida

Aquí tienes algunas decisiones y sugerencias sencillas para disfrutar de la aventura del aprendizaje.

Sé una lectora ávida. La lectura es la ventana al aprendizaje. Puede exponerte al mundo entero y al conocimiento y las experiencias de otros, sobre cualquier asunto imaginable. Digamos, por ejemplo, que lees uno de mis libros (¡como este!). Me llevó años aprender, comprender y poner en práctica la información que lees en unas horas o días. Y me llevó muchos más años descubrir cómo comunicártela mejor. En muy poco tiempo, sabes casi todo lo que yo sé sobre la toma de decisiones. A eso me refería con aprender de los demás.

Advertencia: Tienes una cantidad de tiempo limitada. ¡En serio! Así que elige leer libros, revistas y artículos que te edifiquen. Lee lo que te aliente y te inspire, lo que te enseñe y te prepare. Y no lo olvides: el primer libro que debes leer es la Biblia. Léelo poco a poco. Ve de tapa a tapa o como quieras. Solo asegúrate de leerla una y otra vez.

Haz preguntas. Todos tienen algo para enseñarte. Todos son expertos en algo. Descubre en qué y haz preguntas. ¿Alguien hace algo que te gustaría hacer? Pregúntale cómo aprendió y qué debes hacer a fin de prepararte y hacer lo mismo. Hacer preguntas puede ahorrarte muchas conjeturas en la preparación para tu futuro.

Observa a las personas. Observa las acciones de los demás. Mira a tu alrededor, fíjate qué sucede y copia las buenas acciones de los demás. Proverbios 20:12 dice: «Los oídos para oír y los ojos para ver: ¡hermosa pareja que el Señor ha creado!». Así que presta atención y abre los ojos. ¿Quién actúa con responsabilidad? ¿Quién parece tener las cosas claras? ¿Quién se dirige hacia donde tú quieres ir? ¿Quién tiene experiencias que pueden ayudarte en tu propia vida y futuro?

Digamos que te interesa la obra misionera. La próxima vez que haya misioneros en tu iglesia, busca la oportunidad de preguntarles acerca de sus experiencias. O imagina que te interesa la fotografía. Habla con un fotógrafo sobre sus experiencias. Lo mismo sucede con cualquier deseo: el de ser profesora, diseñadora de joyas o ropa, arquitecta, maquilladora... cualquier cosa que te guste.

¿Y qué sucede con la preparación que Dios desea para tu crecimiento espiritual, según se establece para las «jóvenes» en Tito 2:3-5?

> *A las ancianas, enséñales que sean reverentes en su conducta, y no calumniadoras ni adictas al mucho vino. Deben enseñar lo bueno y aconsejar a las jóvenes a amar a sus esposos y a sus hijos, a ser sensatas y puras, cuidadosas del hogar, bondadosas y sumisas a sus esposos, para que no se hable mal de la palabra de Dios.*

¿Qué mujeres en tu congregación pueden ayudarte a crecer en las cualidades de carácter que enumeran estos versículos?

Otra manera de aprender es leyendo autobiografías y biografías de grandes hombres y mujeres de la historia. ¿Cuáles fueron sus experiencias: sus éxitos y errores? Si eran cristianos, ¿cómo sufrieron? ¿Cómo se probó su fe? ¿Cómo se mantuvieron fieles a Dios? ¿Cómo triunfaron?

¡Y no olvides la Biblia! Como Dios la inspiró, es *el mejor* libro para aprender y crecer.

La respuesta de tu corazón

Mi oración es que nunca dejes de aprender. Descubrir y explorar el conocimiento hacen que se desarrolle tu recurso más importante... *¡tú!* Y cuanto más te desarrollas, más te puede usar Dios. «Ya sea que coman o beban o hagan cualquier otra cosa, háganlo todo para la gloria de Dios» (1 Corintios 10:31).

Para asegurar que siempre crezcas en conocimiento, hazte las siguientes preguntas todos los días:

✳ ¿Qué cosa nueva puedo aprender hoy?

✳ ¿De quién puedo aprender hoy?

✳ ¿Cómo puedo ampliar algún aspecto de mi vida hoy?

✳ ¿Cómo puedo volverme más semejante a Cristo hoy?

Las chicas que ayudan a las chicas

✳ Anota al menos tres actitudes de Ana que limitarán sus opciones y entorpecerán su crecimiento en el futuro.

✳ ¿Qué le dirías acerca de la importancia del aprendizaje en la preparación para el futuro?

✳ De los versículos de este capítulo, ¿cuál significó más para ti y por qué? ¿Cómo se lo transmitirías a Ana?

✳ ¿En qué te pareces a Ana con respecto a la escuela y el aprendizaje? ¿Necesitas tomar nuevas decisiones? ¿Cuáles? ¿Cuándo comenzarás?

¿Quieres saber más?
¡Averígualo!

✔ Dios usó en gran manera a estas personas. Ten en cuenta lo que sus vidas tenían en común.

Moisés nació como esclavo, pero creció para transformarse en un gran líder del pueblo israelita. ¿Qué contribuyó a sus habilidades para el liderazgo (Hechos 7:22)?

Daniel era un adolescente cuando lo llevaron a Babilonia en cautiverio. A pesar de su situación, se transformó en un hombre a quien Dios usó en gran manera. ¿Cómo fue su preparación (Daniel 1:4)?

¿Cuánto se prepararon él y sus tres amigos (Daniel 1:19-20)?

¿Cuánta responsabilidad se le dio a Daniel gracias a sus habilidades (Daniel 2:48)?

¿Cómo influyó Daniel en el rey (Daniel 2:49)?

Pablo fue un gran hombre que escribió trece libros del Nuevo Testamento. Lee Hechos 22:3. ¿Qué descubres sobre su preparación?

Según Gálatas 1:11-12, ¿de qué otra manera se preparó Pablo para una vida de servicio? (Nota: Nuestra «revelación» de hoy surge al leer y estudiar la revelación escrita de Dios, la Biblia).

✔ *Tú* puedes hacer una gran contribución para el bien de los demás y el cumplimiento de los propósitos de Dios. Sin embargo, la utilidad no surge de forma automática. ¿Cómo deberías ver tu preparación para el futuro?

Recomendaciones para ser una buena estudiante

❋ *Haz tu tarea de inmediato todos los días.* Hazla cuando tengas energía. Te sentirás bien y estarás libre una vez que la termines.

❋ *Haz tus proyectos con anticipación.* No esperes hasta el último minuto. De esa manera, estarás disponible si surge alguna oportunidad, como un trabajo de niñera, un viaje de fin de semana a la playa con una amiga y su familia, un partido de pelota. Trabajar con anticipación le abre la puerta a la diversión sin dañar tu tarea escolar ni tus calificaciones.

❋ *Evita esperar hasta la noche anterior a un examen para estudiar.* Estudia un poco cada día, a modo de preparación.

❋ *Evita hacer trampas.* Esto va en contra de la Palabra de Dios y de su plan para ti como cristiana. Ninguna calificación merece hacer trampas.

❋ *Evita llegar tarde a la escuela... o a tus clases.* En cambio, desarrolla el hábito de llegar temprano. El secreto para el éxito en todas las cosas es estar a la hora o temprano.

❋ *Toma nota en clases.* En lugar de escribirles notas a los demás, toma nota de las lecciones. Una vez leí que retenemos el diez por ciento de lo que escuchamos, el cuarenta por ciento de lo que leemos y el setenta por ciento de lo que escribimos. La toma de notas es un atajo hacia el conocimiento.

❋ *Recompénsate por hacer tu tarea.* Llama a tu mejor amiga... *después* de terminar. Enciende tu programa de televisión favorito o lee otro capítulo de un libro emocionante... *después* de terminar. Planea ir al centro comercial con amigas... *después* de terminar tu proyecto de ciencias.

Lleva contigo tu tarea escolar a todas partes. Cuando estés esperando a alguien, sentada en la sala de espera del ortodoncista, o incluso durante los cortes comerciales mientras miras televisión, puedes hacer parte de tu tarea, realizar un bosquejo de un trabajo, repasar una vez más tus notas para el examen del otro día, hacer la lectura de prueba de un ensayo, etc.

Pide ayuda. «La única pregunta tonta es la que no se hace». Si a tus notas les falta algo, pídele información a tu profesor. (A los profesores les *encantan* los estudiantes que quieren aprender y esforzarse en clase). Si no escuchaste parte de las instrucciones del profesor, pídele la información a él o a otro estudiante.

¡No te olvides de orar! Te sorprenderá lo significativa que es la oración cuando la practicas todas las mañanas. Ora para ser una mejor estudiante, para prestar atención en la escuela y ser diligente en tus tareas escolares.

Algo sobre el aprendizaje de Sócrates

Un día, un joven fue a ver al gran filósofo y maestro Sócrates y le dijo, en esencia:

—Sócrates, he viajado dos mil cuatrocientos kilómetros para obtener sabiduría y conocimiento. Quiero aprender, así que vine a verle.

—Ven, sígueme —le dijo Sócrates y lo llevó hasta a la orilla del mar. Caminaron por el agua hasta que les llegó a la cintura. Entonces, Sócrates tomó a su compañero y le metió la cabeza bajo el agua. A pesar de la lucha del joven, Sócrates lo mantuvo debajo del agua.

Al final, cuando el muchacho ya casi no se resistía, lo sacó hasta la orilla y volvió al mercado. Cuando el visitante recuperó la fuerza, fue a ver a Sócrates para descubrir por qué el maestro hizo algo tan terrible.

—Cuando estabas debajo del agua, ¿qué era lo que más querías? —le preguntó Sócrates.

—Quería aire.

—Cuando desees el conocimiento y la comprensión tanto como querías el aire, no tendrás que pedirle a nadie que te lo dé —le dijo entonces Sócrates[1].

Las pautas de Dios para la toma de buenas decisiones

❋ *Pon a Dios en primer lugar en tu corazón.* «Busquen primeramente el reino de Dios y su justicia, y todas estas cosas [la comida, la bebida y el alimento] les serán añadidas» (Mateo 6:33).

❋ *Recuerda que el Señor es la razón de todo lo que haces.* «Hagan lo que hagan, trabajen de buena gana, como para el Señor y no como para nadie en este mundo [...] ustedes sirven a Cristo el Señor (Colosenses 3:23-24).

❋ *Mantente en movimiento.* «Está atenta a la marcha de su hogar, y el pan que come no es fruto del ocio» (Proverbios 31:27).

❋ *Concéntrate en lo que tienes por delante y mantén los ojos en la meta.* «La meta del prudente es la sabiduría; el necio divaga contemplando vanos horizontes» (Proverbios 17:24).

❋ *Dedícate por completo a cada tarea, grande o pequeña.* «Y todo lo que te venga a la mano, hazlo con todo empeño» (Eclesiastés 9:10).

Entabla amistades y mantenlas

Anímense y edifíquense unos a otros.

1 TESALONICENSES 5:11

¡**A**na está en el edificio! Es decir, el edificio de la escuela. Despacio, se abre paso por el atestado pasillo hacia su taquilla. Tiene que recuperarse y fortalecerse antes de comenzar la primera clase.

En el camino, Ana se encuentra con unas chicas de la iglesia. Le caen bien, y a ellas también parece agradarle Ana. No obstante, hay un problema: estas chicas no son muy populares. Se visten y actúan de manera diferente. Es más, María, la amiga de Ana, dice que son «demasiado buenas» y las llama «religiosas raras».

Cuando las chicas se van, una dice: «¡Nos vemos en el grupo de jóvenes esta noche!». Avergonzada, Ana apenas sonríe. Está confundida. ¿Por qué? Porque parte de ella quisiera ser fuerte y comprometida con Jesús, como estas chicas. Sin embargo, no quiere sobresalir ni que la marquen como alguien diferente o extraña. Ana quiere agradar, en especial a los del «grupo de moda».

Y hablando de los «chicos de moda», aquí viene María, la mejor amiga de Ana desde hace mucho tiempo. María es hermosa. Usa ropa de última moda y tiene una personalidad increíble y divertida. Con razón es una de las chicas más populares de la escuela. Además, siempre anda con uno o dos de los chicos más atractivos de la escuela. Ana quisiera parecerse más a María.

Es lamentable, pero María no es cristiana. Y trata de ver cuánto puede acercarse al límite... en todo lo que hace.

Las amistades

¿Eres una de esas chicas que nunca se encuentra con alguien que no conoce? Hablas sin problema con todos, acerca de cualquier tema. Y te resulta fácil entablar amistades. ¿O eres como Ana, que tiene una amiga de la infancia como María, y las dos son casi inseparables? Para muchas chicas, no es fácil encontrar una buena amiga. Ya sea que tengas muchos amigos o unos pocos, estoy segura de que sabrás que la amistad es una cuestión bilateral. Si quieres una buena amiga, tienes que ser una buena amiga.

Entonces, ¿qué es una buena amiga?

De la Palabra de Dios
a tu corazón...

¡Sí! En la Biblia, Dios nos da pautas acerca de cómo ser un buen amigo. A medida que leas los siguientes versículos, marca lo que se destaca para ti. Piensa en tus propias amistades y decide si estás intentando ser esta clase de amiga para las demás. Además, piensa en lo que hace y lo que no hace una amiga... una verdadera amiga.

El que perdona la ofensa cultiva el amor; el que insiste en la ofensa divide a los amigos (Proverbios 17:9).

En todo tiempo ama el amigo; para ayudar en la adversidad nació el hermano (Proverbios 17:17).

Hay amigos que llevan a la ruina, y hay amigos más fieles que un hermano (Proverbios 18:24).

Más confiable es el amigo que hiere que el enemigo que besa (Proverbios 27:6).

No abandones a tu amigo (Proverbios 27:10).

Cómo ser una buena amiga

¿De qué manera puedes elegir a tus amigos y cultivar amistades duraderas? Como mencioné antes, desarrollar buenas amistades comienza contigo. ¡*Tú* necesitas ser una buena amiga! Entonces, ¿qué puedes hacer para transformarte en una amiga de primera? Échale un vistazo a las siguientes decisiones. Si las tomas, ¡las mejores chicas harán fila para ser tus amigas!

1. *Decide crecer espiritualmente.* Esta es siempre la primera decisión que debes tomar en todas las esferas de tu vida. Las amistades no son la excepción. Si deseas crecer en lo espiritual y conocer más a Dios, no te conformarás con nada menos que con una amiga que tenga tu misma pasión por Dios. ¿Y dónde puedes encontrar a chicas que amen al Señor? Aquí tienes una pista: En lugares donde se hable de Jesús. Sí, en general, las encontrarás en la iglesia, en un grupo de jóvenes cristianos o en un campamento o una actividad cristiana.

2. *Decide ser tú misma.* No intentes impresionar a los demás diciendo o haciendo cosas que creas que influirán en otros. Y, en especial, no hables ni actúes de maneras que vayan en contra de la Palabra de Dios. Recuerda, buscas una amiga que no sea falsa, que no finja ser alguien que no es. Sé quien Dios desea que seas: una joven piadosa.

Tal vez no seas la chica más popular de la escuela, pero serás *tú misma*. Serás genuina, auténtica. Y si te sientes cómoda contigo misma, con ser una joven conforme al corazón de Dios, los demás también se sentirán cómodos contigo. Quizá no tengan tus creencias, pero te respetarán por lo que defiendes. Así que sé tú misma: ¡maravillosa, increíble y genial! Dios traerá chicas con la misma forma de pensar para que sean tus amigas.

3. *Decide ser leal.* ¿Alguna vez has tenido una amiga que solo está a tu lado cuando las cosas marchan bien? Esta amiga se va en cuanto pasa algo que prueba la amistad. Es una gran amiga... hasta que las cosas se complican o se dificultan. Mientras hagas las cosas a su manera, todo va bien. Entonces, apenas te apartas de sus planes, intentas ser independiente, tienes una verdadera necesidad o sufres de alguna manera, desaparece en la noche. De repente, no quiere tener nada que ver contigo.

La lealtad es esencial en cualquier amistad. Así que sé una amiga leal. Puedes leer acerca de una amistad sólida en la Biblia, en 1 Samuel 20:14-17. La relación entre David y Jonatán se caracterizaba por una lealtad fuerte y sincera. Aun en medio de situaciones de vida o muerte, cada uno se mantuvo fiel hasta el final.

¿Cuán fiel eres como amiga? ¿Eres una amiga más fiel que una hermana (Proverbios 18:24)? Para obtener lealtad en las relaciones, primero debes ser leal.

4. *Decide ser sincera.* La sinceridad es otra cualidad esencial para cualquier relación íntima. Es uno de los beneficios y las bendiciones de una verdadera amistad, en especial entre amigas cristianas donde ambas viven para Dios y deciden someterse a sus principios y reglas. Tú y tu mejor amiga deberían estar comprometidas a llevarse entre sí hacia los objetivos de Dios. Es más, pueden ayudarse al ser sinceras. Pueden alentarse en su caminar con Dios.

¿Recuerdas cuando admití que me costaba no chismear? Bueno, nunca olvidaré cómo resolví el problema. Cuando descubrí lo que decía la Palabra de Dios sobre el chisme, supe que necesitaba ayuda. Así que le conté a mi mejor amiga mi deseo de hacer verdaderos cambios y de terminar de una vez por todas con este mal hábito. Le pedí que me dijera cada vez que le contaba un chisme o cuando me escuchaba chismear con otras personas. Veinticinco años más tarde, esa mujer sigue siendo mi mejor amiga. Oró por mí, fue sincera y me hizo ver cuándo fracasaba... y me ayudó con un gran obstáculo para mi crecimiento espiritual.

Como dice la Biblia: «Fieles son las heridas del amigo» (Proverbios 27:6, LBLA). Además, nos dice que hablemos «la verdad en amor» (Efesios 4:15, LBLA). Tu objetivo es ayudarse la una a la otra. Debes ser amorosa y sincera, para que las dos se transformen en mejores personas, mejores cristianas y mejores amigas.

5. *Decide alentar.* ¿Has pensado lo fácil que resulta decirles a las personas todo lo que crees que está mal en sus vidas? Una mejor idea es adoptar el hábito de fijarte en las *buenas* actitudes y las acciones de los demás... Y decírselo. Sabes lo bueno que es que alguien te señale algo que hiciste bien y que te elogie, ¿entonces por qué no hacer lo mismo con los demás?

¿De qué manera puedes alentar mejor? Volvamos por un momento a David y Jonatán. Su relación se apoyaba en su amor mutuo por Dios. Cuando el padre de Jonatán, Saúl, resolvió asesinar a David, Jonatán «fue a ver a David [...] y lo animó a seguir confiando en Dios» (1 Samuel 23:16). La Biblia dice: «Anímense y edifíquense unos a otros» (1 Tesalonicenses 5:11).

Alientas a alguien cuando lo ayudas a encontrar fuerza en Dios a través de las Escrituras y al orar juntos. Los cumplidos sinceros también animan a las personas. Y cuando des un cumplido, que sea específico. Elogia a tus amigas por las cosas que valoras de ellas, algo que veas en su conducta o admires de su carácter. Cuando edificas a las personas en lugar de menospreciarlas, también te beneficias. ¿Por qué? Porque tus amigas son un reflejo de ti. Influyen en tu futuro.

6. *Decide esforzarte en las amistades.* La amistad buena y saludable, la clase adecuada de amistad, no ocurre de la noche a la mañana, ni siquiera en una semana. Debes decidir mantener y cultivar amistades de calidad. Lleva tiempo, cuidado y esfuerzo: una llamada telefónica por aquí, un correo electrónico por allá, sentarse juntas durante el almuerzo, pasar tiempo juntas. El apóstol Pablo se lo dijo de la siguiente manera a sus amigos en Filipos: «Los llevo en el corazón» (Filipenses 1:7). ¿Tienes una mejor amiga? ¿Qué puedes hacer hoy para cultivar esa amistad?

En busca de una amiga

¿Estás buscando amigas? Muchas chicas pasan años buscando una amiga... una verdadera amiga. Mira a tu alrededor. Mientras cultives nuevas amistades, comprende que Dios ya te ha dado varias personas que estarán a tu lado en el futuro.

En Jesús tienes el mejor amigo que tendrás jamás. Si eres cristiana, ya tienes una relación muy especial con el Hijo de Dios, Jesucristo. ¡Te ha *elegido* para ser su amiga! A sus discípulos, les dijo: «Ustedes son mis amigos [...] los he llamado amigos» (Juan 15:14-15). Lo mismo es cierto para ti. Y aquí tienes una verdad: Con Jesús como tu amigo, eres amada de manera total y completa. Es un amigo más fiel que un hermano (Proverbios 18:24). Aunque los demás amigos pueden ir y venir e incluso volverse en tu contra, Jesús estará contigo, nunca se apartará de tu lado y siempre te alentará. *Siempre* puedes contar con Él. Y puedes hablarle a través de la oración en cualquier momento, en cualquier lugar y sobre cualquier cosa. Nada es demasiado trivial, ni vergonzoso, ni abrumador.

Tienes amigos en tus padres. Antes de reírte y no prestarme atención, comprende que no tiene nada de extraño que tu mamá y tu papá sean tus amigos. Son el regalo de Dios para ti. Espero que en algún momento comprendas que ningún humano te ama más ni quiere mejores cosas para ti que tus padres. Pídele a Dios que te ayude a desarrollar amistades íntimas con tus padres. Y sé buena con ellos. Sé amable y servicial. Pídeles consejo... Y luego escucha con el corazón abierto. Más adelante te alegrará haberlo hecho.

También tienes amigos en tus hermanos y hermanas. Tal vez pienses: «¿Amiga de mi hermano tonto? ¡De ninguna manera!» o «¿Amiga de mi hermana latosa? ¡Debes estar bromeando!» o

«Mi hermana mayor no me quiere ver a su alrededor». Créase o no, a lo largo de la vida, los amigos van y vienen. Quizá te mantengas en contacto con algunos, pero la mayoría de los amigos que conoces ahora seguirán adelante. Tu familia siempre estará contigo, en especial si construyes y mantienes amistades con ellos. ¡Y recibe aliento! Tu hermano no siempre se comportará como un tonto, ni tu hermana será una plaga para toda la vida y tus hermanos mayores llegarán a valorarte.

De la Palabra de Dios
a tu corazón...

La Biblia es muy clara al hablarnos de la clase de persona que tenemos que buscar como amigo... y de la clase que debemos evitar. Comencemos con las advertencias de Dios acerca de a quién evitar. No significa que no debas ser amable, amistosa y servicial con todos. Sin embargo, tus amistades íntimas (con chicos y chicas) deberían estar a la altura de los principios de Dios (¡y de los tuyos!). Cuando leas estos versículos, toma nota de la forma de hablar, el carácter o la conducta de las personas que debes evitar. Además, observa los efectos que pueden tener los malos amigos sobre ti.

El que con sabios anda, sabio se vuelve; el que con necios se junta, saldrá mal parado (Proverbios 13:20).

No te hagas amigo de gente violenta, ni te juntes con los iracundos, no sea que aprendas sus malas costumbres y tú mismo caigas en la trampa (Proverbios 22:24-25).

No deben relacionarse con nadie que, llamándose hermano [cristiano], sea inmoral o avaro, idólatra, calumniador, borracho o estafador. Con tal persona ni siquiera deben juntarse para comer (1 Corintios 5:11).

No se dejen engañar: «Las malas compañías corrompen las buenas costumbres» (1 Corintios 15:33).

No formen yunta con los incrédulos. ¿Qué tienen en común la justicia y la maldad? ¿O qué comunión puede tener la luz con la oscuridad? [...] ¿Qué tiene en común un creyente con un incrédulo? (2 Corintios 6:14-15).

La respuesta de tu corazón

Sin duda, la amistad es una parte importante de la vida. ¡Y debería serlo! Los amigos son una bendición y parte del amor y del plan de Dios para ti. Por medio de tus amigos, Dios te alentará, te enseñará, te formará y te transformará en una mujer conforme a su corazón.

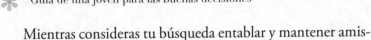

Mientras consideras tu búsqueda entablar y mantener amistades, comprende que hay tres clases de personas en la vida:

* las que te derriban
* las que te arrastran
* las que te levantan

Es evidente que las que te derriban traen problemas, así que deberías evitarlas. Es cierto el antiguo refrán de que «las malas compañías corrompen las buenas costumbres». Así que asegúrate de que tus amigos, tus amigos íntimos y tus mejores amigos sean cristianos que te lleven a su lado y te eleven para parecerte más a Cristo. Tendrían que ser creyentes fuertes, de ideas afines, que te ayuden a pensar en forma que eleve el espíritu, a hacer cosas honorables y a ser la mejor versión de ti misma.

¿Cómo encuentras amigos así?

* *Comienza contigo misma*. Cultiva en ti las cualidades que deseas en tus amigos. Sé la clase de persona que lleve a los demás consigo y los eleve a las cosas de Dios.

* *Establece criterios altos* para ti y para tus amigos. Son las cosas de las que hemos estado hablando.

* *Implántalo ahora*. Decide que es preferible no tener amigos por ahora antes que tener los amigos equivocados. Si tienes amigos que no son buenos para ti, comienza a buscar otros que te alienten a ser como Cristo.

Ya mencioné que Jesús es en verdad tu mejor amigo, el amigo perfecto. Y puedes hablar con Él sobre cualquier problema y deseo de tu corazón. Habla a menudo con Él sobre tus amigos o tu falta de amigos, sobre tu deseo de amistades y cualquier dolor que te causen (es lamentable que el dolor sea parte de la vida y de las relaciones más cercanas). Jesús lo comprende. Ya experimentó estas cosas. Y te alentará a ti y a tus amistades, consolará tu corazón cuando lo necesites y te dará sabiduría. Además, llenará la necesidad de amistad en tu vida. ¡Así que habla hoy mismo con Él!

Las chicas que ayudan a las chicas

✳ Anota varios errores del proceso de elección de amistades de Ana. ¿Qué criterios tenía... qué decidía quiénes eran sus amigas?

✳ ¿Qué podrías decirle sobre la importancia de escoger con cuidado las amistades? ¿Qué consejo le darías para tomar mejores decisiones?

✳ De los versículos de este capítulo, ¿cuál significó más para ti y por qué? ¿Cómo se lo transmitirías a Ana?

✳ Ana está confundida con respecto a los amigos que quiere. ¿En qué te pareces a ella? ¿Necesitas cambiar algo en tu vida? ¿En tus criterios? Si es así, ¿qué debes cambiar? ¿Qué harás primero?

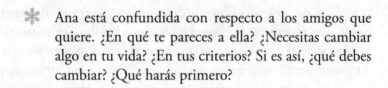

¿Quieres saber más?
¡Averígualo!

✔ Lee 1 Samuel 17:57—18:4 (solo seis versículos). ¿Dónde y cuándo se conocieron David y Jonatán?

✔ ¿Qué palabras usa la Biblia para describir la relación entre ellos en 1 Samuel 18:1?

¿Qué dos acciones demostraron el profundo compromiso de Jonatán con su amigo David (versículos 3 y 4)?

✔ Lee 1 Samuel 19:1-2. ¿Cuál era el plan del padre de Jonatán para David?

¿Qué hizo Jonatán, el verdadero amigo de David, cuando descubrió el plan de su padre?

✔ Lee 1 Samuel 20:17-19, 20-22, 36, 41-42. Describe la separación entre Jonatán y David.

¿Qué se prometieron el uno al otro?

✔ Lee 2 Samuel 9:1-7. Después de la muerte de Jonatán, ¿cómo cumplió David la promesa que le hizo a su amigo?

Las pautas de Dios para la toma de buenas decisiones

✳ *Busca amigos que sigan a Dios.* «Huye de las malas pasiones de la juventud, y esmérate en seguir la justicia, la fe, el amor y la paz, junto con los que invocan al Señor con un corazón limpio» (2 Timoteo 2:22).

✳ *Busca amigos leales.* «Hay amigos que llevan a la ruina, y hay amigos más fieles que un hermano» (Proverbios 18:24).

✳ *Busca amigos que te pidan que les rindas cuentas.* «Más confiable es el amigo que hiere que el enemigo que besa» (Proverbios 27:6).

✳ *Busca amigos que te alienten hacia las actividades piadosas.* «Ayúdense unos a otros a llevar sus cargas, y así cumplirán la ley de Cristo» (Gálatas 6:2).

✳ *Busca amigos que oren por ti.* «Desde el día en que lo supimos no hemos dejado de orar por ustedes. Pedimos que Dios les haga conocer plenamente su voluntad con toda sabiduría y comprensión espiritual» (Colosenses 1:9).

Un noviazgo sin reproches

Esmérate en seguir la justicia, la fe, el amor y la paz,

junto con los que invocan al Señor

con un corazón limpio.

2 TIMOTEO 2:22

La amiga de Ana, María, se ha superado de verdad hoy. A medida que se desliza hacia su taquilla junto a la de Ana, exhibe con orgullo su nueva ropa de moda. En respuesta, Ana abre su abrigo en forma dócil y revela su ropa «prohibida». Traga saliva y piensa: *Mis padres no aceptan lo que me pongo. ¡Se les pararían los pelos si me pusiera la ropa que tiene María!*

La ropa de María es el último grito de la moda, pero revela mucha piel... más de lo que a Ana le resulta cómodo. La camiseta de María le deja ver los hombros y el estómago. Está en buena forma y le encanta mostrarlo.

Entonces, Brad se detiene junto a sus taquillas, y cuando sus ojos se encuentran con los de Ana, ella se olvida de la ropa nueva. Es un amigo de Bill, el novio de María. Él y Bill son excelentes atletas, muy populares. Para que conste, Brad no es en sí el «novio» de Ana. Es cierto, salieron juntos como parte de un grupo varias veces, pero la relación no ha llegado a nada serio... todavía. Ana espera que hubiera algo más. A sus padres les agrada Brad. Piensan que es educado, cortés y tiene buenos modales. Sin embargo, siempre le señalan que Brad no es cristiano.

A Ana le gusta mucho Brad y, al parecer, el sentimiento es mutuo. Así que desestima la preocupación de sus padres. *Brad es un chico excelente, ¿qué problema hay si tiene distintas creencias religiosas o no tiene ninguna?* Además, Ana está convencida de que si la relación se vuelve seria, el verdadero amor superará cualquier barrera. También cree que si está más cerca de él, tendrá más oportunidades de testificarle sobre Jesús y quizá ejercer influencia de modo que lo acepte como Señor y Salvador. Entonces, ¡todo sería perfecto!

Algo sobre los chicos

En el capítulo anterior hablamos de las amigas y las amistades. Ahora, veamos las relaciones con los muchachos. Estás rodeada de chicos todo el día: en la escuela, en la iglesia y en público. ¿Cómo actúas cuando estás a su lado? Las relaciones entre chicos y chicas en la adolescencia son distintas por completo a las relaciones entre amigas. ¡Seguro que ya lo sabes! Entonces, ¿qué debería ser igual y qué debería ser diferente a la hora de estar alrededor de los chicos?

Deberías ser amistosa y accesible con todas las personas. Trata a todos con respeto y consideración. Habla como siempre y utiliza los modales esenciales. No cuchichees ni chismees sobre las personas ni con ellas. Sin embargo, debido a la diferencia entre los chicos y las chicas y a la naturaleza de las relaciones con el sexo opuesto ahora y en el futuro, hay algunas cosas que debes saber para tener cuidado. Aquí tienes cuatro pautas muy importantes.

1. *Cuida tu nivel de simpatía.* Sé agradable, pero mantén una distancia respetuosa, aun si el chico es tu compañero de

laboratorio en la escuela o participa en un grupo de estudio después de la escuela o en una actividad extracurricular en los que estés tú. Que la relación se mantenga a un nivel algo formal. ¿Qué significa? Sé educada. En esencia, no debe haber contacto físico. No pases tiempo a solas con él en un ámbito privado.No hagas regalos personales. Si te acercas demasiado o eres demasiado amigable, puedes enviarle el mensaje de que estás más interesada en él de lo que estás en realidad. Y si te interesa, mantén la relación en un nivel informal. No te apresures. Aunque tal vez no lo parezca, tienes mucho tiempo para el romance en el futuro.

2. *Cuidado con los cumplidos.* No te pases de la raya con tu apreciación o tus elogios. Si te gusta alguien, obsérvalo a él y a su carácter en silencio. Interactúa con él en grupo, para ver cómo es en realidad. No te apresures ni fuerces una relación de noviazgo. Si le dices a un chico que es lindo o genial, o incluso le dices a tus amigas (quienes tal vez se lo digan a otra persona... y esa persona se lo diga a otra... y esa se lo diga a él), el chico puede pensar que estás más interesada de lo que lo estás o quizá te involucres más de lo que deseas. Una vez más, no intentes forzar una relación con un chico. Y si la relación con un mucha-cho avanza en esa dirección, ve despacio y con cuidado.

3. *Cuidado con cuánto hablas.* La Biblia dice que debes te-ner «un espíritu suave y apacible» (1 Pedro 3:4). Además, dice que no debes dejar que salgan palabras perniciosas de tu boca (Efesios 4:29). Esto es, en especial, cuando hablas con varones o acerca de los mismos. Si hablas demasiado, tal vez digas o des a entender algo para lo que no estás preparada. Si eres una par-lanchina, los chicos pueden suponer que estás más interesada de lo que estás en verdad. Tal vez les des la impresión equivocada. (Esto pasa a menudo con los varones). Habla con pureza. Evita palabras con connotaciones sexuales cuando hables con chicas

o chicos. A menudo, los varones interpretan las referencias y las palabras sexuales de una manera muy distinta a las chicas. Dios quiere que seas pura en tu cuerpo, en tu corazón... *y* en tu forma de hablar.

4. *Cuidado con lo que te pones*. Dios quiere que tengas los principios más altos para tu conducta *y* para tu vestuario. El pudor puede parecer anticuado, pero es la norma divina, y te ayudará a mantenerte alejada de la tentación y de situaciones dañinas en potencia (1 Timoteo 2:9). Lo que decides ponerte produce un efecto en las personas que te rodean... sobre todo en los varones. Además, señala cuáles son tus prioridades: lo que sucede en tu corazón y cómo estás con Dios.

Cuando Ana decidió ponerse algo que le prohibieron de manera expresa, reveló un espíritu rebelde hacia sus padres y, en última instancia, hacia Dios. Al llamar la atención, Ana buscaba aprobación de las personas equivocadas.

He aquí una reflexión: Si para obtener la aprobación de tus amigas o de los chicos que te rodean tienes que ponerte ropa reveladora, quizá debas reconsiderar tus amistades. Quieres estar rodeada de personas que te amen por tus valores, tu carácter y por quién eres... no por tu apariencia.

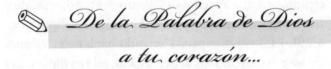

De la Palabra de Dios a tu corazón...

Sin duda, es emocionante considerar y participar de una relación con el sexo opuesto. ¡Pero ten cuidado! Estas relaciones pueden tener un alto precio emocional y físico. Si no se manejan a la manera de Dios, puedes cometer errores o meterte en situaciones que crean dolor y cicatrices para toda la vida. La mejor manera de evitar sentimientos dolorosos, malas experiencias y reproches es establecer normas altas, las normas de Dios que presenta la Biblia, para tu conducta y para la clase de muchachos que consideras como posibles novios. Necesitas una vara de medir, y Dios tiene una perfecta para ti en su Palabra.

El libro de Rut ofrece excelentes pautas para saber qué buscar en una posible relación romántica (si el matrimonio es la voluntad de Dios para ti). Mira las cualidades sobresalientes de Booz, el hombre que le interesó a Rut:

✳ *Piadoso*. Busca un chico apasionado por Jesús. Debería ser la prioridad más importante de tu lista. Booz le pidió a Dios en oración que bendijera a Rut (2:12).

✳ *Diligente*. Busca a un muchacho esforzado. Booz administraba bien sus propiedades y su riqueza (2:1).

✳ *Amistoso*. Busca un chico que sea tu mejor amigo. Booz recibió con afecto a Rut y le dio un lugar en su campo (2:4, 8).

✳ *Misericordioso*. Busca a un chico que se apiade de los demás. Booz preguntó por la situación de Rut y actuó en su beneficio (2:7).

✳ *Alentador*. Busca a un chico que sea una buena influencia en tu crecimiento (en cuestiones espirituales, en el desarrollo del carácter y en intereses educativos y personales). Booz señaló los puntos fuertes de Rut para alentarla (2:12).

✳ *Generoso*. Busca a un chico con un corazón generoso. Rut necesitaba comida y trabajaba mucho para obtenerla. Booz lo vio, lo valoró y ordenó que se le diera una ración extra (2:15).

* *Amable.* Busca a un chico con un corazón bondadoso. Es evidente que Booz se preocupaba por el bienestar de Rut. Además, se ocupó de Noemí, la suegra de Rut. Noemí le agradeció a Dios por la amabilidad de Booz hacia ella y Rut (2:20).

* *Discreto.* Busca un chico que proteja tu reputación. Rut fue a ver a Booz de noche, y él honró su pureza y la envió a su casa desde la era antes del amanecer (3:14).

* *Fiel.* Busca a un chico que cumpla su palabra. Booz cumplió su promesa de casarse con Rut (4:1)[1].

Elige un enfoque piadoso para el noviazgo

Booz parece ser un gran hombre, ¿no? ¿Conoces a alguien como él? Si no, ten paciencia. Sin duda, ¡hay chicos como él! Si la voluntad de Dios es que te cases, Él ya está preparando a alguien para ti. Mientras tanto, hay decisiones que *tú* puedes tomar mientras Dios te prepara a *ti* para el chico adecuado: el mejor muchacho.

Decide asociarte con muchachos que sean cristianos activos, vehementes y verdaderos. Elabora, ¡y escríbela!, una lista de rasgos de carácter de la Biblia que sean indispensables para los chicos cristianos con quienes estarías dispuesta a salir. Usa esa lista como guía para los chicos que te interesan y con quienes tienes trato hoy.

Ya miramos a Booz y sus cualidades piadosas. Analiza 1 Timoteo 3 y Tito 1. Dios elogia a los hombres que tienen un carácter impecable y una conducta pura. Es la clase de persona que necesitas. Dios desea lo mejor para ti, y tú deberías desear lo mismo. No te conformes con menos.

Además, nunca salgas con un chico que no sea cristiano. ¿Te parece muy estricto? La Biblia es clarísima al respecto. En 2 Corintios 6:14 dice: «No formen yunta con los incrédulos. ¿Qué tienen en común la justicia y la maldad? ¿O qué comunión puede tener la luz con la oscuridad?». Aquí tienes un consejo muy sabio:

> *«No te tragues el mito de: "Puedo testificarle".* La mayoría de las veces, cuando las personas se relacionan a distintos niveles espirituales, el cristiano se aleja de Dios y no al revés». El escritor señala cómo un noviazgo con un inconverso solo puede disminuir tu identidad en Cristo. Salir con incrédulo no puede ayudar a que crezca tu caminar con Jesús[2].

Decide concentrarte en actividades de grupos en lugar de estar sola con un chico. Usa estas actividades (de preferencia, actividades de la iglesia o reuniones con cristianos) para observar la conducta de los chicos en el grupo. Además, ser parte de un grupo disminuye las tentaciones que pueden surgir cuando estás a solas con un chico. Otro beneficio de las actividades grupales es la experiencia que obtienes al aprender a hablar con los chicos y estar a su lado. Diviértete mientras conoces a los chicos del grupo. No hay presión.

Decide esperar antes de tener un noviazgo en serio hasta que haya un propósito o una razón piadosos: el matrimonio. Un noviazgo intenso en esta etapa de tu vida puede llevarte a una montaña rusa emocional que duele en lo más profundo cuando termina, arruina tu reputación, afecta en forma negativa el desarrollo de tu carácter o te mete en problemas sexuales y te marca de por vida.

Decide unirte a tus padres en lo referente al noviazgo. Es una señal importante de madurez. Dios estableció que tus padres tuvieran la responsabilidad de ti. Tienen que dar cuentas a Dios por todo lo que te concierne. Quizá sea difícil creerlo, pero tus padres tienen experiencia en el noviazgo. Saben lo que sucede con los chicos y las chicas en la adolescencia. Aquí tienes una pequeña lista de las maneras en que tú y tus padres pueden actuar como equipo en cuanto a las citas, ya sea en grupo o con un individuo. Esta lista te ayudará a protegerte de malentendidos y errores dolorosos.

✳ Asegúrate de pedir un horario de vuelta a casa y respetarlo.

✳ Ten en claro en cuanto a dónde puedes ir y a dónde no puedes ir, y con quién puedes estar o no puedes estar.

✳ Asegúrate que tus padres conozcan a todos tus amigos: chicas y chicos.

✳ Asegúrate que tus padres aprueben las personas con que te juntas, los lugares a los que vas, lo que harás y lo que te pones.

✳ Sé sincera por completo con tus padres.

Decide permanecer pura en lo moral y lo sexual. Si todavía no has comenzado a salir con chicos, comprométete ahora con la pureza. Si ya comenzaste, reafirma tu pacto con las normas de Dios acerca de la pureza. Y recuerda tu compromiso con las normas de Dios *antes* de cada cita. Es una decisión espiritual... sabia... y adecuada. Lo que decides es si seguirás a Jesús o al mundo. Y aquí tienes una advertencia: Si un chico te tienta a cualquier clase de actividad o acción que vaya en contra de las normas de Dios o de los límites de tus padres, o te atrae a hacer algo que pueda ir en contra de los principios de Dios, *de ninguna manera* es el chico para ti. ¡Dile adiós! Si un chico ama a Jesús y se interesa de verdad por ti, querrá la pureza sexual para ambos. Y te alentará a estar bien espiritualmente, en lugar de tentarte al fracaso moral.

La respuesta de tu corazón

La persona con quien salgas y el momento en que lo hagas son decisiones muy importantes. Por favor, no abordes el noviazgo en forma superficial. Y no te apresures a tener un noviazgo solo porque lo hacen todos. Este aspecto es muy difícil para las chicas cristianas... y los chicos también. En los libros, los anuncios, las revistas y la televisión, y muchísimo más, se muestra como algo normal y popular. No obstante, si miras más allá del *glamour* y lees historias basadas en la vida real, descubrirás que las relaciones y el noviazgo son asuntos difíciles. Verás lo fácil que es tomar malas decisiones que te lastimen a ti y a los demás.

Entonces, ¿qué puedes hacer mientras esperas para comenzar a salir con chicos? Como ya sugerí, confecciona una lista de cualidades piadosas para buscar en la persona con la que salgas. Es muy fácil confundir la *apariencia atractiva* con el *carácter*, así que ten cuidado.

Sé paciente mientras esperas. Lleva tiempo... incluso años... desarrollar por completo el carácter (el tuyo y el de la persona con quien salgas). Busca la piedad en tu propia vida y confía en que Dios te traerá al chico adecuado.

Además, por sobre todas las cosas, disfruta de ser tú misma. Disfruta la vida ahora. Haz buenas amigas. Invierte el tiempo, y las emociones, en personas y actividades en casa, en la iglesia y en la escuela. Ten cuidado de no obsesionarte con un chico (o chicos). Dios quiere que te concentres en Él: en crecer de forma espiritual, en vivir a su manera, en desarrollarte para que seas la mujer para la que te creó. Ante todo, eres una joven conforme a su corazón.

Las chicas que ayudan a las chicas

✳ Anota tres suposiciones indebidas y enfoques erróneos que adoptó Ana con respecto a los chicos y a las citas.

✳ ¿Qué le dirías para ayudarla a comprender la seriedad de tomar buenas decisiones sobre los chicos y el noviazgo?

✳ De los versículos de este capítulo, ¿cuál significó más para ti y por qué? ¿Cómo se lo transmitirías a Ana?

✳ ¿En qué te pareces a Ana? ¿Necesitas tomar alguna decisión con respecto a los chicos, para alinearte mejor con los principios de Dios? Si es así, ¿qué harás primero?

¿Quieres saber más?
¡Averígualo!

✔ Según 2 Corintios 6:14, ¿cuál es la decisión *más* importante que debes tomar en cuanto a los novios y las citas?

✔ Según estos versículos, ¿cómo deberían tratarte los varones?

1 Corintios 13:4-7:

1 Pedro 2:17:

Efesios 4:32:

✔ Según estos versículos, ¿cuál es la mejor actitud y conducta con respecto a ti y a los muchachos?

1 Samuel 16:7:

Mateo 5:8:

1 Tesalonicenses 4:4:

1 Pedro 3:3-4:

El mejor momento

Hace poco, este muchacho me pidió que fuera su novia. Le dije que no porque creo que soy demasiado joven. Además, mi mamá no quiere que salga con chicos hasta que cumpla los dieciséis años. Sabía que no era el momento adecuado.

Es importante darse cuenta de que el amor no es algo para jugar. Cantar de los Cantares lo deja en claro al decir: «No despertéis ni hagáis velar al amor, hasta que quiera» (Cantar de los Cantares 2:7, RV-60). No deberíamos apresurarnos a una relación de noviazgo solo porque todos los demás piensan que está bien. Dios quiere que esperemos a la persona adecuada, no porque no quiera que nos divirtamos, sino porque quiere lo *mejor* para nosotras.

Como Dios se interesa tanto por nosotras, quiere que guardemos el amor romántico para una relación de la que esté orgulloso. No sabemos si sucederá ni cuándo vendrá, pero podemos confiar en que Dios se ocupará de nosotras a su manera y a su tiempo[3].

ROBYN

Las pautas de Dios para la toma de buenas decisiones

✱ *No salgas con incrédulos.* «No formen yunta con los incrédulos [...] ¿Qué comunión puede tener la luz con la oscuridad?» (2 Corintios 6:14).

✱ *Comprende que un incrédulo no quiere lo mejor de Dios para ti.* «Los que viven conforme a la naturaleza pecaminosa fijan la mente en los deseos de tal naturaleza» (Romanos 8:5).

✱ *Busca acciones piadosas en los demás.* «El amor es paciente, es bondadoso. El amor no es envidioso ni jactancioso ni orgulloso. No se comporta con rudeza, no es egoísta, no se enoja fácilmente, no guarda rencor [...] Todo lo disculpa, todo lo cree, todo lo espera, todo lo soporta» (1 Corintios 13:4-7).

✱ *Busca un carácter piadoso.* «No mires a su apariencia [...] El hombre mira la apariencia exterior, pero el SEÑOR mira el corazón» (1 Samuel 16:7, LBLA).

✱ *No te conformes con menos.* «Si hay virtud alguna, si algo digno de alabanza, en esto pensad» (Filipenses 4:8, RV-95).

✱ *Prepárate de manera espiritual.* «Que su belleza sea [...] un espíritu suave y apacible» (1 Pedro 3:3-4).

¿Por qué una chica buena hace algo así?

Que cada uno aprenda a controlar su propio
cuerpo de una manera santa y honrosa.

1 TESALONICENSES 4:4

Suena la campana para el comienzo del primer período y Ana y María corren por el pasillo hacia su clase de historia. Cuando se acercan a la puerta del aula, María susurra: «Bueno... ¿te anotas o no?». Antes de que Ana pueda responder, María abre la puerta de un golpe y entran al aula... solo un poco tarde esta vez.

Ana se sienta y enseguida comienza a preocuparse por la pregunta de María. Sabe con exactitud lo que le pregunta su amiga, y por eso está tan preocupada. Durante semanas, María y su novio, Bill, han hecho planes para una cita muy especial. Les dirán a todos que van a ver una película el sábado por la noche. En realidad, lo que planean es ir a la casa de Bill. Sus padres estarán de viaje.

La relación de Bill y María se ha intensificado en el ámbito físico con el correr de los meses. Y como a María le encanta vivir al límite, Ana solo puede imaginar lo que sucederá en la casa de Bill. Sin embargo, para empeorar las cosas, María y Bill quieren que Ana y Brian les acompañen para darle más autenticidad a su coartada.

¿Qué debo hacer?, se preocupó Ana. *María es mi mejor amiga. No quiero desilusionarla. Brad es un chico excelente y me gusta mucho. Sería divertido pasar tiempo a su lado. Sin embargo, nunca antes he hecho algo así, ¿y qué dirían mis padres si se enteraran de la verdad... de que fuimos a la casa de Bill y sus padres no estaban? Además, no sé si estoy cómoda con lo que puede suceder entre María y Bill. ¿Cómo reaccionaría Brad ante esa situación?*

Mientras medita en esta gigantesca «pregunta crucial», la profesora, la Srta. Henderson, le entrega a Ana el examen semanal de historia.

Ahora, Ana se enfrenta a una decisión más inmediata: ¿Le echará un vistazo a las respuestas que anotó en un pedacito de papel y metió en la manga del suéter?

La verdad acerca de la tentación

La vida cristiana es una lucha. Jesús les dijo a sus discípulos, y a nosotros, que «en este mundo afrontarán aflicciones» (Juan 16:33). Parte de las aflicciones de las que hablaba Jesús vendrá en forma de tentación. Cuando cedes a la tentación, viene el pecado (Mateo 5:28). Por eso, tienes que luchar contra la tentación. ¡No quieres fracasar y caer!

Uno de los problemas clave de la tentación es que viene en muchas variedades. El objetivo siempre es tu pureza: la pureza ética, mental, espiritual y la pureza física y sexual. Como verás, Ana tiene dos tentaciones en este momento: mentir sobre la salida del sábado y hacer trampa en su examen de historia.

Cuando llegue la tentación, recuerda que Dios dice: «Huye de las malas pasiones de la juventud, y esmérate en seguir la justicia, la fe, el amor y la paz [...] con un corazón limpio» (2 Timoteo 2:22).

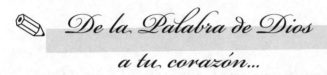

De la Palabra de Dios

a tu corazón...

Medita en las siguientes verdades que te da Dios. A decir verdad, ¿por qué no hacer más que pensar en ellas? Toma un bolígrafo y disecciónalas: sepáralas. Mientras más saques de estos versículos, más te guiarán cuando venga la tentación.

> *Su divino poder [...] nos ha concedido todas las cosas que necesitamos para vivir como Dios manda* (2 Pedro 1:3).

> *Vivan por el Espíritu, y no seguirán los deseos de la naturaleza pecaminosa* (Gálatas 5:16).

> *Las obras de la naturaleza pecaminosa se conocen bien: inmoralidad sexual, impureza y libertinaje [...] En cambio, el fruto del Espíritu es [...] dominio propio* (Gálatas 5:19, 22-23).

Ustedes no han sufrido ninguna tentación que no sea común al género humano. Pero Dios es fiel, y no permitirá que ustedes sean tentados más allá de lo que puedan aguantar. Más bien, cuando llegue la tentación, él les dará también una salida a fin de que puedan resistir (1 Corintios 10:13).

Fortalézcanse con el gran poder del Señor (Efesios 6:10).

Aprendamos más sobre la tentación

Dios te ha confiado un tesoro importantísimo: tu pureza. Con su ayuda, puedes protegerlo en todas las esferas de tu vida. Como sabrás, las tentaciones vienen en muchas formas y niveles. El ejemplo clásico es la tentación de Satanás a Eva en el jardín del Edén. Todo comienza con un mandamiento específico que le dio Dios a Adán en Génesis 2:16-17: «Puedes comer de todos los árboles del jardín, pero del árbol del conocimiento del bien y del mal no deberás comer. El día que de él comas, ciertamente morirás».

Más tarde, Satanás, «la serpiente», se acercó a Eva para «hablar» de lo que Dios le dijo a Adán. Esta fue la conversación de Eva con el diablo:

La serpiente: «¿Es verdad que Dios les dijo que no comieran de ningún árbol del jardín?» (Génesis 3:1).

Eva:	«Podemos comer del fruto de todos los árboles [...] pero, en cuanto al fruto del árbol que está en medio del jardín, Dios nos ha dicho: "No coman de ese árbol, ni lo toquen; de lo contrario, morirán"» (vv. 2-3).
La serpiente:	«¡No es cierto, no van a morir! Dios sabe muy bien que, cuando coman de ese árbol, se les abrirán los ojos y llegarán a ser como Dios, conocedores del bien y del mal» (vv. 4-5).
La caída:	«La mujer vio que el fruto del árbol era bueno para comer, y que tenía buen aspecto y era deseable para adquirir sabiduría, así que tomó de su fruto y comió. Luego le dio a su esposo, y también él comió» (Génesis 3:6).
Los resultados:	A Adán y Eva se les prohibió la entrada al jardín del Edén. Dios le explicó a Adán: «Le hiciste caso a tu mujer, y comiste del árbol del que te prohibí comer» (v. 17). Desde ese momento, el mundo (incluyéndonos a ti y a mí) ha sufrido las consecuencias de la debilidad de Adán y Eva ante la tentación.

¿Captaste cómo la tentación se transforma en pecado? Dios les dijo con exactitud a Adán y a Eva cuál era su voluntad. Nosotros también tenemos la Biblia, la Palabra de Dios, a fin de poder comprender la voluntad y los mandatos de Dios. Él nos la dio para que no tuviéramos duda de lo que quiere que hagamos y no hagamos.

El primer paso por el camino de la tentación es dudar de algo que Dios establece en su Palabra, cuestionar su carácter, sus instrucciones, sus propósitos, su amor y su misericordia para contigo. Por lo tanto, ¡mantente alerta! Satanás y el mundo tienen una *gran* capacidad para plantar la duda e intentar debilitar tu fe y tu confianza en Dios.

Ciertas decisiones son «algo obvio»

1. ¿Será legal? (1 Pedro 2:13-15).

2. ¿Mis padres estarán de acuerdo? (Efesios 6:1)

3. ¿Haré tropezar a otros? (1 Corintios 8:12-13)

4. ¿Beneficiaré a los demás? (1 Corintios 6:12)

5. ¿Se formará un hábito? (1 Corintios 6:12)

6. ¿Me hará crecer? (1 Corintios 10:23)

7. ¿Será un buen testimonio? (1 Pedro 2:12)

8. ¿Glorificará a Dios? (1 Corintios 10:31)

El alcance de tu pureza

La pureza está al principio de la lista de Dios para ti como una de sus preciosas jóvenes. En la Biblia, la palabra *pura* se traduce en distintas versiones como «casta» o «de mente pura». Busca la palabra *puro* en tu diccionario y encontrarás definiciones sobre no tener mancha, estar libre de contaminación, ser limpio, inocente y libre de culpa. La pureza es una orden importante de Dios. Así que no importa cuántos años tengas, presta mucha atención a la pureza.

Cuando tus padres o tus líderes de jóvenes hablan sobre la pureza, ¿a qué se refieren en general? A la pureza sexual, ¿no? Es un aspecto importante porque la santidad física es muy especial y Dios deja muy en claro en su Palabra que quiere que nosotras, jóvenes y ancianas, seamos puras en cuerpo.

Sin embargo, la pureza física va más allá de decirle «no» a la relación sexual. Incluye cuidar lo que entra a tu cuerpo. Incluye el cigarrillo, el alcohol y las drogas. Aquí tienes algo para pensar. Las leyes de nuestro país prohíben el consumo de cigarrillos y bebidas alcohólicas hasta cierta edad. Además, el abuso de drogas es ilegal, más allá de la edad. Estas leyes tienen razones sólidas, así que las obedecemos. ¿Por qué? Es la ley.

Y estoy segura de que tus padres no quieren que fumes, bebas ni consumas drogas. Te aman y quieren lo mejor para ti. Asimismo, está el asunto de tu salud. Los profesionales médicos han revelado muchas maneras en que el cigarrillo, la bebida, las drogas y la sobrealimentación dañan la salud.

Son buenas razones para no permitirse el uso de sustancias dañinas e ilegales. Sin embargo, la razón más importante para mantenerte saludable y pura es Dios y tu servicio a Él y a su pueblo. Únete al apóstol Pablo en su decisión: «No dejaré que nada me domine» (1 Corintios 6:12).

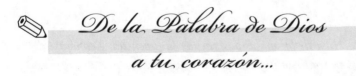

De la Palabra de Dios a tu corazón...

Cuando pensaste en la pureza, ¿te vinieron a la mente algunos de los siguientes versículos? ¿Cómo se relacionan contigo?

¿Qué significan estos aspectos en tu vida? Realiza algunas notas personales.

> *¿Acaso no saben que su cuerpo es templo del Espíritu Santo, quien está en ustedes y al que han recibido de parte de Dios? Ustedes no son sus propios dueños; fueron comprados por un precio. Por tanto, honren con su cuerpo a Dios* (1 Corintios 6:19-20).

> *No sigas la senda de los perversos ni vayas por el camino de los malvados. ¡Evita ese camino! ¡No pases por él! ¡Aléjate de allí, y sigue de largo!* (Proverbios 4:14-15).

> *Por último, hermanos, consideren bien todo lo* [...] *puro* (Filipenses 4:8).

> *Consérvate puro* (1 Timoteo 5:22).

> *Huye de las malas pasiones de la juventud, y esmérate en seguir la justicia* (2 Timoteo 2:22).

¿Qué debe hacer una chica?

Este libro habla de las decisiones... tus decisiones para hacer lo bueno y agradable a los ojos de Dios. La toma de buenas decisiones te protege del pecado, el fracaso y el daño. Cuando te enfrentas a la tentación, puedes tomar varias decisiones con toda confianza, sabiendo que son las adecuadas.

1. *Decide seguir la piedad.* El primer paso para mantener tu pureza es buscar una vida de piedad (2 Timoteo 2:22). Cuanto más leas la Palabra de Dios, ores, alabes con el pueblo de Dios y rindas cuenta a otros, más comprenderás lo que está bien y lo que está mal para Dios. (Nuestra amiga Ana no apartó tiempo para leer la Palabra de Dios y orar por sus decisiones. Además, no le rendía cuentas a nadie. Con razón tiene tantas luchas... ¡y no toma las *mejores* decisiones!).

2. *Decide evitar los lugares y las situaciones donde te pudieran tentar.* Pablo le dijo a su joven amigo Timoteo que huyera «de las malas pasiones de la juventud» (2 Timoteo 2:22). *¡Vamos! ¡Evita la tentación!* Cuando llegue la tentación, corre con todas tus fuerzas, lo más rápido que puedas en la dirección opuesta.

3. *Decide evitar a las personas que puedan tentarte.* No es bueno andar con amigos que te arrastren a cosas malas. Es más, puede ser mortal en lo que se refiere a la tentación. En el caso de Ana, María no es una influencia muy buena, ¿verdad? La Palabra de Dios no deja duda acerca de lo que Ana debería hacer... y tú también cuando llegan las situaciones difíciles: «Si los pecadores quieren engañarte, no vayas con ellos [...] ¡Apártate de sus senderos!» (Proverbios 1:10, 15). Sí, esto es difícil, y a veces doloroso, ponerlo en práctica. Vivir para Cristo no siempre es fácil.

4. *Decide vestirte con decencia.* Tal vez te preguntes: «¿Por qué esto otra vez?». Porque no solo es para tu pureza, sino para la de los demás. En especial, hablo de los muchachos. Como sabrás, tienen ojos. Así que no tengas una apariencia seductora ni insinuante. Lo que te pones afirma tus valores y tu reputación. La Biblia dice que hay que vestirse «con modestia» (1 Timoteo 2:9).

La respuesta de tu corazón

Mi querida y joven amiga, la pureza es un llamado de por vida. La cuidarás durante los años venideros. Además, es una cuestión del corazón, de tu corazón. Tu conducta depende de dónde pones el corazón. Dos de mis versículos preferidos de la Biblia son Colosenses 3:1-2. Estos versículos nos dicen que pongamos el corazón y la mente en las cosas de arriba, no en las terrenales. Asegúrate de que la brújula de tu corazón apunte hacia Dios y a la pureza que desea para ti, en ti y por ti. Protege el corazón, la mente y el cuerpo todos los días. Si vives para Dios, sus principios y valores se reflejarán en una vida de pureza en los pensamientos, las palabras y las obras.

Las chicas que ayudan a las chicas

* ¿Qué luces rojas intentan llamarle la atención a Ana a fin de que pueda tomar la decisión adecuada sobre la salida secreta del sábado por la noche?

✳   ¿Qué podría haber hecho para evitar la tentación de hacer trampa en el examen o mentir sobre sus planes para el sábado?

✳   ¿Qué consejo puedes darle a Ana sobre la importancia de vivir según los principios divinos de sinceridad y pureza sexual? ¿Cómo se lo dirías?

✳   De los versículos de este capítulo, ¿cuál significó más para ti y por qué? ¿Cómo se lo transmitirías a Ana?

✳   Si estuvieras en el lugar de Ana, ¿qué harías? ¿Cómo seguirías los principios de Dios?

✳   ¿De qué manera o en qué aspectos luchas con la pureza? ¿Debes reconsiderar alguna decisión? ¿Cambiarla? ¿Comenzar a tomarla ahora?

¿Quieres saber más?
¡Averígualo!

La Biblia enseña de manera contundente que no hagas nada que afecte tu pureza y sea un obstáculo para tu testimonio cristiano. ¿Cómo aplicarás estos versículos a tu vida?

✔ Lee 1 Corintios 6:18-20. ¿Qué mandamiento hay en el versículo 18, y cuál es la razón?

¿Qué aprendes acerca de tu cuerpo en los versículos 19 y 20?

¿Cuál es el último mandamiento en el versículo 20, y la razón?

✔ Lee 1 Tesalonicenses 4:3-8. ¿En qué tres cosas consiste la voluntad de Dios (vv. 3-4)?

—

—

Según el versículo 5, ¿cómo se comportan los incrédulos?

¿Cuál es el resultado del pecado sexual (versículo 6)?

¿Cuál es la consecuencia del pecado sexual (versículo 6)?

¿Qué mensaje fuerte comunica Dios en el versículo 6 con respecto a dañar a los demás?

¿Cuál es el llamado de Dios para ti en el versículo 7?

Cuando alguien rechaza el llamado de Dios, ¿a quién y qué se rechaza en realidad?

✔ *Algo extra*: Lee Génesis 39:7-20. ¿Cómo tentó una mujer inmoral al piadoso José? Enumera las evidencias de su impureza, sus intentos de hacer que José pecara y las respuestas del joven.

¿Qué precio pagó José por permanecer puro en cuerpo y fiel a Dios (versículo 20)?

Mi oración por la pureza

Señor...

Te entrego todos los deseos de mi corazón:
que los puedas poner en línea con tu
perfecta voluntad.

Te entrego mi mente: que se llene de
pensamientos que puedan subir a tu
santa presencia.

Te entrego mi boca: que pueda hablar solo de
lo que te honre, lo que aliente a otros y
revele un corazón puro.

Te entrego mi cuerpo: que pueda mantenerlo
en pureza a fin de que sea un vaso santo
y honroso que puedas usar.

Te entrego mis amistades con los jóvenes:
que mi corazón permanezca puro.
Que tengas autoridad sobre todas mis
pasiones.

Vuelvo a entregarme a ti. Toma mi vida y
permite que por siempre jamás sea pura
para ti[1].

Las pautas de Dios para la toma de buenas decisiones

❋ *Pídele a Dios la fortaleza que necesitas.* «Los que confían en el SEÑOR renovarán sus fuerzas; volarán como las águilas: correrán y no se fatigarán, caminarán y no se cansarán» (Isaías 40:31).

❋ *Acude a la Palabra de Dios para hallar el crecimiento y la sabiduría que necesitas.* «Deseen con ansias la leche pura de la palabra, como niños recién nacidos. Así, por medio de ella, crecerán en su salvación» (1 Pedro 2:2).

❋ *Pídele a Dios el control que necesitas.* «El fruto del Espíritu es amor, alegría, paz, paciencia, amabilidad, bondad, fidelidad, humildad y dominio propio» (Gálatas 5:22-23).

❋ *Pídele ayuda a Dios para ser ejemplo.* «Que nadie te menosprecie por ser joven. Al contrario, que los creyentes vean en ti un *ejemplo* a seguir en la manera de hablar, en la conducta, y en amor, fe y pureza» (1 Timoteo 4:12).

❋ *Pídele la victoria a Dios.* «¡Pero gracias a Dios, que nos da la victoria por medio de nuestro Señor Jesucristo!» (1 Corintios 15:57).

Cambia tu vida

Confía en el Señor de todo corazón, y no en
tu propia inteligencia. Reconócelo en todos
tus caminos, y él allanará tus sendas.

PROVERBIOS 3:5-6

En realidad, Ana tomó *muy* malas decisiones la semana pasada. Sí, *decidió* ceder a la tentación de hacer trampa en su examen de historia. Y anoche también... sábado por la noche. (¿Recuerdas el dilema de Ana acerca de ir con Brad a la casa de Bill?). Ana decidió mentirles a sus padres.

María, Bill, Brad y Ana terminaron en la casa de Bill... sin los padres. Y, en efecto, Bill y María desaparecieron y dejaron a Ana a solas con Brad. Su ausencia pareció darle luz verde al muchacho para avanzar sobre Ana. Al cabo de unos minutos de acurrucarse, Ana tomó una buena decisión. Reconoció el peligro sobre sus principios y su pureza y se opuso de manera verbal y física. Sin embargo, eso no detuvo a Brad. Persistió, diciéndole que estaba bien y era muy natural querer «estar más cerca». Incluso dio a entender que era una mojigata e infantil. Aterrorizada, Ana se alejó, corrió hacia el baño y cerró la puerta.

Sacó su teléfono celular y llamó a su papá. Fue muy difícil, pero le explicó enseguida la situación y le pidió que fuera a buscarla. ¡Estaba tan agradecida cuando llegó!

Ahora es domingo y la mente de Ana va a toda velocidad. *¿Cómo le haré frente a María? Es probable que ya no quiera ser mi amiga. Debe pensar que soy infantil y anticuada por completo. Seguro que Brad les contó a todos lo que pasó anoche. Se reirán de mí... en especial, Brad, Bill y sus amigos.*

Ya sé lo que haré: Le pediré a mi mamá que me enseñe en casa... desde mañana. ¡Sí, eso es! O quizá puedo mudarme a Cleveland y vivir con la tía Mirta. Es muy buena... Y no tendré que ver más a nadie en la escuela. Además, no tendré que vivir con la desilusión de mamá y papá.

Cuando sale del auto y se dirige a la reunión del grupo de jóvenes en la iglesia, se siente vencida y desalentada. Sí, sus padres la apoyaron y le dijeron que estaban contentos porque llamó cuando necesitaba ayuda. Aun así, también estaban enojados porque mintió y se metió en semejante situación. Ana no los culpaba. Lo peor era la desilusión de sus padres. No gritaron... no hizo falta. Sus rostros revelaron el dolor de que ella, su hija, hubiera violado su confianza.

Ana entró al aula y se sentó. Allí estaba... en la iglesia, rodeada de cristianos. Se sentía muy avergonzada, muy tonta, muy apenada. Lo peor era su dilema de cómo mirar a Jesús. ¡Estaría tan desilusionado por lo que hizo! ¿Y cómo podría evitar seguir tomando malas decisiones? Su dolor era real y sincero.

Entonces Rick, el pastor de jóvenes, se paró, y mirando a la clase, comenzó a hablar.

Proverbios 3:5-6

Ana siempre había estado en la periferia del círculo social de amigos cristianos. Fue su decisión, por supuesto. Siempre iba al grupo de jóvenes (sus padres se aseguraban de eso). No obstante, casi nunca prestaba atención a lo que sucedía allí. Vivía con un pie en el mundo y otro en la cultura cristiana, pero la mayor parte de su concentración estaba del lado del mundo.

Sin embargo, hoy venía con reproches, confusión y dolor. De repente, se sintió desesperada. Quería ayuda y respuestas. En su corazón sabía que vivir para Jesús era la solución. Aun así, ¿cómo podía tomar la decisión de zambullirse de cabeza y de todo corazón en Jesús si el mundo, María y sus otros amigos eran tan divertidos? Era emocionante vivir al límite... la mayor parte del tiempo. Hecha pedazos, decidió escuchar al pastor Rick. Por primera vez, en un *laaaargo* tiempo, se esforzó por escuchar lo que decía.

«Abran sus Biblias en Proverbios 3. Démosles un vistazo a los versículos 5 y 6», dijo el pastor Rick.

(Ana tomó nota mental de traer la Biblia a la próxima reunión. Esta vez, solo escuchó).

El pastor Rick siguió. «Bueno, los versículos 5 y 6:

> *Confía en el SEÑOR de todo corazón, y no en tu propia inteligencia. Reconócelo en todos tus caminos, y él allanará tus sendas.*

»Ahora, analicemos cada versículo.

»*"Confía en el SEÑOR de todo corazón"*. ¿Alguna vez sientes que no puedes confiar en nadie? ¿Nadie comprende tu situación ni lo que sientes cuando debes tomar una decisión importante? ¡Es horrible sentirse solo! No quieres hablar con tus padres al respecto. Todos tus amigos están metidos en sus propias vidas. Tienes el peso del mundo sobre los hombros. Haces una oración a medias: "Si hubiera alguien con quién pudiera hablar. Alguien a quién confiarle mis problemas y mis decisiones...".

»Y cuando la lista queda vacía, decides que nadie puede ayudarte. Así que tomas solo las decisiones. A veces, te salen bien, pero otras te llevan al desastre.

»Sabes lo que diré a continuación, ¿no? ¡Sí! *Hay* alguien en quien puedes confiar por completo en cada momento con todas las decisiones que debes tomar. Ese alguien es Jesús. Y siempre sabe lo que es *mejor* para ti. Sabe lo que necesitas y lo que es bueno o dañino para ti. En realidad, ¡es el mejor recurso que tienes!

»Seguro que ya lo sabes. A pesar de eso, es hora de que lo creas de verdad... ¡y lo vivas! En cada decisión que tomes, desde las pequeñas hasta las enormes, debes confiar y creer que Dios puede ayudarte a tomar buenas decisiones... y lo hará. Ahí entra la parte del versículo 5 que dice "de todo corazón". ¿Puedes hacerlo? Parece difícil, lo sé. Con todo, nunca conocerás la voluntad completa de Dios para ti si no confías a plenitud en Él.

»A continuación viene *"no* [confíes] *en tu propia inteligencia"*. Dios no te pide que dejes de lado tu capacidad de pensar y razonar. ¡Él te dio esas habilidades! Sin embargo, te pide que descubras y escuches la sabiduría de su Palabra, tu conciencia y el estímulo del Espíritu, así como el consejo sabio, y prestar atención al consejo de su Espíritu».

El problema de Ana

Este era el problema de Ana. Se empeñaba en lo que quería. Además, escuchaba a las personas equivocadas: a todos *menos* a Dios. Excluía a Dios y a los recursos positivos que le había dado (como su Palabra y la oración) para ayudarla a enfrentar las decisiones que debía tomar. Ana se apoyaba en su propia inteligencia.

Por ejemplo, su decisión de ir con Brad a la cita del sábado por la noche. Si les hubiera pedido ayuda a Dios, a sus padres o a algún cristiano sabio, la habrían guiado a la decisión adecuada. Si solo se hubiera detenido, esperado, orado y escuchado a Dios y a su pueblo, y hubiera confiado en su sabiduría, se habría ahorrado una experiencia muy dolorosa.

El pastor Rick siguió. «El versículo 6 dice: *"Reconócelo en todos tus caminos"*. ¿Cómo reconoces la presencia de un amigo? Lo llamas por su nombre. Saludas. Sonríes y le gritas: «¡Hola!». Quizá hasta lo abraces o le des una palmada en la espalda. El reconocimiento de Dios es igual. Sabes que Jesús es tu mejor amigo, ¿verdad? Siempre está donde tú estás. ¡Nunca te deja ni se vuelve en tu contra! Así que proponte reconocer siempre su presencia y buscar su consejo. La mejor manera de hacerlo es orando. Llévale todas tus decisiones a Jesús. Pídele ayuda. ¡Te la dará! Cada una de tus elecciones es importante para Él. Quiere ser parte de tu vida y desea que lo sepas y lo incluyas. Así que pídele ayuda y sabiduría. Ora con un corazón sincero: "Señor, ¿qué quieres *tú* que haga?".

»El resto del versículo 6 dice que Dios *"allanará tus sendas"*. ¿Qué significa esto para nosotros? Significa que debemos examinar nuestros valores. Todos necesitamos hacerlo a menudo para asegurarnos de estar viviendo lo que creemos. Sí, podemos buscar el consejo del Señor cuando estamos acorralados o cuando tomamos decisiones no demasiado buenas y enfrentamos las consecuencias. Sin embargo, es mucho mejor hablar con Él *antes* de que haya problemas.

»¿Qué preguntas podemos hacer para ayudarnos a aceptar la realidad y hablar con Jesús? Prueba estas:

❋   ¿Qué es en verdad importante para mí... y estas cosas son importantes para Dios?

❋   ¿Cuáles son mis prioridades... o cuáles deberían ser?

❋   ¿Le he entregado por completo mi corazón a Jesús en esto? ¿Vivo de acuerdo a ese compromiso?

»Colocar a Dios en el centro de tu vida garantizará su dirección en las decisiones que debes tomar. Como verás en el versículo 6, *tu tarea* es reconocer a Dios en todas las cosas y buscar su voluntad. Cuando lo haces, *su tarea* es dirigirte y guiarte... para enderezar tus caminos. Él quitará las barreras, los obstáculos y te permitirá avanzar. Tomarás buenas decisiones, disfrutarás más de la vida y sufrirás menos. ¿No es maravilloso?».

✎ De la Palabra de Dios a tu corazón...

¿Qué sucede si confías en el Señor con todo tu corazón? Toma tu bolígrafo favorito y aprópiate de estas verdades. Subraya o resalta tu parte preferida de cada versículo. Anota el mensaje que te deja y cómo se revela a tu vida.

*Así dice el SEÑOR: «Deténganse en los caminos y miren;
pregunten por los senderos antiguos. Pregunten por el
buen camino, y no se aparten de él. Así hallarán el
descanso anhelado» (Jeremías 6:16).*

*Más bien, busquen primeramente el reino de Dios y su
justicia, y todas estas cosas les serán añadidas (Mateo
6:33).*

*No se amolden al mundo actual, sino sean transforma-
dos mediante la renovación de su mente. Así podrán
comprobar cuál es la voluntad de Dios, buena, agradable y perfecta (Romanos 12:2).*

*Ya sea que te desvíes a la derecha o a la izquierda, tus
oídos percibirán a tus espaldas una voz que te dirá:
«Este es el camino; síguelo» (Isaías 30:21).*

*Si a alguno de ustedes le falta sabiduría, pídasela a
Dios, y él se la dará (Santiago 1:5).*

Conoce el perdón de Dios

¡Ana encontró su respuesta! Se le prendió una luz en el cerebro y en el corazón. Y era muy sencillo. Lo único que tenía que hacer era confiarle a Dios cada detalle de su vida, ¡y Él la ayudaría a tomar buenas decisiones! (Sí, es más fácil decirlo que hacerlo, pero es un buen objetivo).

Sin embargo, había un problema. Ana creía que no merecía todo esto. No se sentía «limpia». Temía acercarse a Dios. En una semana, se había apuntado una buena lista de pecados: mentira, engaño, chisme, desobediencia a sus padres y rebelión.

Ana suspiró y se preguntó: *¿Cómo puedo empezar de nuevo? ¿Cómo puedo darle un giro a mi vida? ¿Cómo puede Dios perdonarme?*

Dios le respondió a través de la explicación del pastor Rick. «Veamos Efesios 1:7:

> *En él tenemos la redención mediante su sangre, el perdón de nuestros pecados, conforme a las riquezas de la gracia.*

»Pablo se refiere a Jesús. En Jesús tenemos redención. Dios es santo por completo y no soporta el pecado. Sin embargo, las personas son pecaminosas. Es un problema... un gran problema. Todos estamos separados de Dios por el pecado. La mala noticia es que por nuestro pecado merecemos el castigo y la muerte. Así lo dice Romanos 6:23. A pesar de eso, la *buena noticia* es que, gracias a la muerte de Jesús en la cruz, ¡somos salvos! Si aceptamos por fe la muerte de Jesús en nuestro lugar, no experimentamos la muerte espiritual. ¡Se perdonan nuestros pecados! ¡Es como si desaparecieran!

»¿Comprendes la importancia de conocer a Jesús como tu Señor y Salvador? Solo por medio de Él puedes experimentar un perdón total y obtener la vida eterna con Él para siempre. Si quieres entregarle tu vida a Jesús ahora mismo, haz de corazón esta sencilla oración:

> Jesús, sé que soy pecador. Me arrepiento de mis pecados, quiero cambiar y seguirte. Creo que moriste por mis pecados y te levantaste en victoria sobre el poder del pecado y la muerte. Te acepto como mi Señor y Salvador personal. Ven a mi vida y ayúdame a seguirte por completo, desde ahora en adelante. ¡Gracias! Amén.

»Si hiciste esta oración ahora, ven a verme cuando terminemos. ¡Me gustaría celebrar contigo!», dijo el pastor Rick.

El dilema de Ana

Ana ya sabía en su corazón que Jesús era su Salvador. Supo que se perdonaron sus pecados cuando le entregó su vida a Él en un campamento el verano pasado. Ya le pertenecía a Jesús. No obstante, su problema era manejar cuestiones cotidianas que surgían y las tentaciones y los pecados permanentes.

¿Cómo puede Jesús perdonar los pecados horribles que cometí la semana pasada?, agonizaba Ana. *Descuidé a Dios. Fui perezosa y egoísta. Traté muy mal a mi familia. A sabiendas, fui en contra de las reglas y los deseos de mis padres. Hice trampas. Mentí. Desobedecí a Dios y a mis padres.*

Una vez más, Dios vino al rescate. El pastor Rick hizo una pausa para la oración. Ahora, continuó.

«Bueno. Tal vez se pregunten si Jesús cubrirá *todos* sus pecados... incluso esos con los que luchan todos los días. Veamos 1 Juan 1:9:

> *Si confesamos nuestros pecados, Dios, que es fiel y justo, nos los perdonará y nos limpiará de toda maldad.*

»Gracias al sacrificio de Jesús en la cruz, nuestra redención, nuestra salvación, y el perdón de nuestros pecados es ilimitado. Si reconocemos nuestro pecado con verdadera pena y arrepentimiento, podemos confiar en que Dios estará dispuesto a perdonarnos siempre. ¿No es maravilloso?».

La liberación de Ana

Así que el problema de Ana con los pecados constantes y cotidianos se resolvió *por* Jesús y *gracias* a Él.

El pastor Rick siguió con otra oración... una oración de renovación de compromiso. Esta vez, Ana oró sin dudar. ¡Era la oración que necesitaba!

> Jesús, sé que en el pasado te invité a mi vida. En ese momento pensé que era tu hija, pero mi vida no ha mostrado el fruto de mi creencia. Como una vez más escucho tu llamado, quiero comprometerme de verdad contigo como el Señor y el Amo de mi vida. Quiero saber que soy *tu* hija... y vivir conforme a esto. Ayúdame a seguirte en todos los aspectos de mi vida. Amén.

¡Qué libertad! ¡La carga de fracaso que llevaba Ana desapareció! Se sintió limpia. ¡Estaba limpia! Recibió el perdón por sus pecados pasados (¡y por la semana pasada!) y comenzó a desear dejar de vivir como lo había hecho y empezar a vivir *de verdad* para Jesús.

Acepta el perdón de Dios

Mi querida amiga lectora, ¿dónde estás en cuanto al perdón? ¿Necesitas comenzar con la oración de salvación del pastor Rick y pedirle perdón a Dios por medio de su Hijo, el Señor Jesús? Si es así, ¿por qué no lo haces ahora? Es un buen momento para entregarle a Cristo tu corazón y tu vida. ¡No hay mejor momento que ahora!

¿O eres como Ana, ya eres cristiana, pero te has alejado de Dios? ¿Has cometido errores, has tomado malas decisiones? Tal vez te sientas como Ana cuando se preguntó: *¿Cómo puede perdonarme Dios? He hecho algunas cosas que me dan mucha vergüenza.* Bueno, como verás, ¡el perdón de Dios llega desde la cruz de Jesús hasta ti! Confiesa tu pecado y vuelve a Jesús. Dale todo el control de tu ser. Comienza ahora a dejar que Él maneje tu vida. Él no comete errores. Hará la tarea a la perfección.

Cómo sigues adelante

¿No es increíble Dios? Nos ha dado el regalo de la salvación por medio de su Hijo. Y Dios siempre nos perdonará si tenemos un corazón sincero. Sin embargo, todavía te preguntas: *¿Cómo puedo seguir adelante si fracasé?* Acudamos a la Biblia para encontrar la respuesta.

Si alguien tenía una buena razón para lamentar las cosas horribles que había hecho, ese era el apóstol Pablo. Antes de conocer a Jesús, alentó a otros a matar a un hombre justo llamado Esteban (Hechos 7:59—8:1). Además, tuvo un papel importante en la persecución de los cristianos (Hechos 9:1-2).

¿Te imaginas cómo se sintió Pablo cuando Jesús lo hizo caer de rodillas y le otorgó un perdón completo e incondicional (Hechos 9:1-5)? Después de eso, supo que debía seguir adelante y servir a Dios con todo el corazón. ¡Basta de días perdidos! Sin duda, Pablo todavía lamentaba el pasado y sentía una profunda pena. A pesar de eso, podía decir:

> *Olvidando lo que queda atrás y esforzándome por alcanzar lo que está delante, sigo avanzando hacia la meta para ganar el premio que Dios ofrece mediante su llamamiento celestial en Cristo Jesús* (Filipenses 3:13-14).

Amiga, al igual que Pablo, debes tomar algunas otras decisiones. Decide aceptar el perdón de Dios por tu pasado. Además, recuerda su perdón cada vez que tus fracasos del pasado te vengan a la mente. Como el apóstol, puedes decidir olvidar el pasado y seguir adelante. Esto te permitirá enfrentar cada día y los próximos años con entusiasmo y una expectativa gozosa sobre lo que Dios ha preparado para ti.

La respuesta de tu corazón

¿Cuán a menudo te dan segundas oportunidades? No muy seguido, ¿no es verdad? No obstante, ¡Dios sí las da! Su perdón te ofrece una segunda oportunidad... e incluso una tercera, una cuarta o más. Como verás, su perdón no tiene límite. Lo único que debes hacer es acudir a Él con un corazón *arrepentido* cada vez que peques.

Sin embargo, una advertencia: Tu dolor por lo que has hecho debe ser auténtico. Así que examina tu corazón primero. Pregunta: «¿En qué se fundamenta mi dolor? ¿Lamento que me hayan atrapado... o haber cedido a la tentación? ¿Lamento haber desilusionado a las personas... o haber desilusionado a Dios?». Cuando te acerques al Señor, ábrele el corazón por completo. Él disfrutará al limpiarte a fondo y con mucho amor.

Así que aquí tienes una reflexión alentadora acerca de seguir adelante: Si te has desviado y has tomado el camino equivocado, en cualquier momento puedes comenzar a transitar un camino nuevo y bueno, el de Dios. Incluso ahora. Aun si persisten las consecuencias de tus acciones pasadas, Dios puede y te dará la gracia y la fortaleza para arreglar las cosas y ayudarte a vivir con cualquier consecuencia. Puedes hacer cualquier cosa: incluso seguir adelante, darle un giro a tu vida, por medio de Cristo que te fortalece (Filipenses 4:13).

Las chicas que ayudan a las chicas

✳ Anota varias decisiones buenas que tomó Ana por fin. ¿Qué decisión crucial tomó?

✳ ¿Qué consuelo y palabras de aliento le darías si te sentaras a su lado en el grupo de jóvenes?

❊ De los versículos de este capítulo, ¿cuál significó más para ti y por qué? ¿Cómo le transmitirías esta verdad a Ana?

❊ ¿En qué te pareces a Ana? ¿Necesitas hacer algo con respecto a alguna mala decisión que tomaste? ¿Qué puedes hacer? ¿Qué harás primero para darle un giro a tu vida?

¿Quieres saber más?
¡Averígualo!

✔ ¿Qué te enseñan estos pasajes acerca del perdón de Dios?

Salmo 103:12:

Isaías 1:18:

Mateo 26:28:

Hechos 10:43:

1 Juan 1:9:

✔ Se ha dicho que al que mucho se le perdona, mucho perdona. ¿Qué dicen estos versículos sobre tu actitud de perdonar a los demás?

Mateo 18:21-22:

Hechos 7:59-60:

Efesios 4:32:

Colosenses 3:12-13:

Las pautas de Dios para la toma de buenas decisiones

✳ *Recuerda siempre que Dios te conoce y te bendice.* «Antes de formarte en el vientre, ya te había elegido; antes de que nacieras, ya te había apartado» (Jeremías 1:5).

✳ *Recuerda siempre que Dios te ama y que su Hijo murió por tus pecados.* «Pero Dios demuestra su amor por nosotros en esto: en que cuando todavía éramos pecadores, Cristo murió por nosotros» (Romanos 5:8).

✳ *Recuerda siempre que Dios te acepta por medio de su Hijo.* «Alabado sea Dios, Padre de nuestro Señor Jesucristo, que nos ha bendecido en las regiones celestiales con toda bendición espiritual en Cristo» (Efesios 1:3).

✳ *Recuerda siempre que estás completa en Cristo.* «Toda la plenitud de la divinidad habita en forma corporal en Cristo; y en él, que es la cabeza de todo poder y autoridad, ustedes han recibido esa plenitud» (Colosenses 2:9-10).

✳ *Recuerda siempre que eres una obra en curso y un día serás perfecta.* «[Estén convencidos] de esto: el que comenzó tan buena obra en ustedes la irá perfeccionando hasta el día de Cristo Jesús» (Filipenses 1:6).

Un nuevo comienzo

Una cosa hago: olvidando lo que queda atrás
y esforzándome por alcanzar lo que está
delante, sigo avanzando hacia la meta para
ganar el premio que Dios ofrece mediante su
llamamiento celestial en Cristo Jesús.

FILIPENSES 3:13-14

¿Alguna vez has escuchado la frase: «Hoy es el primer día del resto de tu vida»? Bueno, así se sentía Ana cuando se sentó en su cama el domingo por la tarde. Después de una semana desastrosa, le sorprendió lo emocionada que estaba. Se sentía bien. Los domingos tienen que ser especiales, ¡y este lo era!

En primer lugar, a Ana la ayudó muchísimo lo que enseñó el pastor Rick en el grupo de jóvenes. Qué conmoción... y, después, qué bendición. Su mundo se estremeció y cambió.

Más tarde, a Ana le hizo bien el sermón que dio el pastor en la reunión habitual. Antes, siempre bloqueaba al pastor principal. Tenía una larga lista de cosas que hacer en ese momento: garabatear, limpiar su bolso, enviarles mensajes de texto a sus amigas y pensar en lo que se pondría en la escuela el lunes. Sin embargo, hoy era como si tuviera oídos nuevos.

¡Vaya!, pensó Ana. *El sermón de hoy fue increíble. Me habló al corazón. El pastor Porter me habló directamente a mí. ¿Cómo sabía con exactitud lo que necesitaba escuchar para ayudarme a cumplir mi decisión de comenzar de nuevo y vivir para Dios?*

Tu vida a la manera de Dios

¿Puedes creer todo lo que le sucedió a Ana en solo unas horas? Toda su vida cambió. Se dirige en una dirección completamente nueva, maravillosa y emocionante. A Ana le costaba creer que pudiera comprometerse a vivir a la manera de Dios... y hacer lo que Él quería que hiciera. ¡Estaba muda de asombro! Sin embargo, al mismo tiempo, sonreía con un vivo deseo de empezar de nuevo.

Ana decidió: *Una cosa es saber lo que está bien... y otra muy distinta es hacerlo y vivir bien, vivir a la manera de Dios.*

Sí, decidió que las cosas iban a ser distintas... *muy* distintas. La semana anterior fue un caos. Ana no quería volver a vivir otra igual. Estuvo meditando y orando acerca de los nuevos compromisos que tomaba: elecciones que expresarían la decisión revolucionaria que había tomado en el grupo de jóvenes.

Y para estar bien segura de no volver a caer en viejos hábitos, Ana les pidió ayuda a Carol y a Estela. Estas dos chicas del grupo de jóvenes también iban a su escuela. Ambas aceptaron estar a su lado, orar por ella y seguirla en su progreso.

Creo que estas dos nuevas amigas serán de mucha ayuda. ¡Aman a Dios y quieren lo mejor de Él para mí!, decidió Ana. *Espero que María también respete mi nueva identidad.*

El comienzo

«Ahora bien, para este nuevo comienzo...». Ana miró lo que había arriba de su cama. «Biblia... listo. Diario personal y cuaderno de oración... listo. Notas de la clase del pastor Rick... listo».

Estaba preparada para tomar el consejo del pastor y seguir los principios que había desarrollado en el grupo.

«Déjame ver. ¿Qué dijo el pastor Rick sobre vivir, vivir de verdad, para Cristo? Ah, sí, aquí está. Nos dio una lista de control».

Lista de control diario para la vida cristiana

* *Comienza cada día con Dios.* Pasa tiempo con la Palabra de Dios. «O el pecado te mantiene alejada de este Libro, o este Libro te mantiene alejada del pecado».

* *Siempre incluye la oración.* Ora por ti, por tu día, por tu familia, por tu actitud, por tus amigos y por tu caminar con Dios.

* *Compórtate como una hija de Dios.* Esto incluye la manera de vestirte y de hablar. También incluye la manera de tratar a tu familia.

* *Elige a tus amigos con cuidado.* En las palabras de George Washington: «Mejor solo que mal acompañado».

* *Haz todo para la gloria de Dios.* Esto incluye la tarea y las actividades escolares.

* *Mantén la compostura y la mente despejada en lo que respecta a las citas amorosas.* No temas esperar para salir con chicos, decir no, aguardar por la persona adecuada y darle participación a tus padres.

* *Consérvate pura.* Es mejor ser menos popular y menos experimentada que lamentarlo más tarde.

Después que Ana leyó con detenimiento la lista de control diario del pastor Rick, supo lo que haría el resto del día. En lugar de hablar por teléfono, enviar mensajes de texto y navegar por Internet, limpiaría su habitación. Además, tenía que hacer tareas escolares. Esta noche, pasaría tiempo con su familia... incluso con sus hermanos menores. Y haría todo para honrar al Señor, no para satisfacerse a sí misma, a sus padres, ni a sus maestros. Quizá incluso pudiera avanzar el estudio bíblico para la reunión de la semana.

Ana se detuvo y volvió a leer la lista del pastor Rick. Hizo una nota mental de revisar su armario y elegir lo que se pondría para ir a la escuela mañana... algo decente. Y, de seguro, tenía que decidir cuándo se levantaría. ¡Ah, cómo quería empezar cada día con Dios! ¡Pasar tiempo con Él y orar!

Ah, y debería tener más cuidado con los muchachos.

Ah... y... y...

Sí, Ana tomó buenas decisiones que la llevarían por el buen camino... ¡el mejor!, hacia Dios y su voluntad.

La respuesta de tu corazón

Tú, querida lectora, tienes una vida maravillosa y plena. ¡Es una época emocionante para ti! Sé que no hemos hablado de todas las esferas y problemas de tu vida... eso sería imposible. Sin embargo, mi esperanza y mi oración son que hayas vislumbrado lo importante que es tomar buenas decisiones... y que *puedes* tomar las mejores decisiones todos los días. Así se vive la vida a la manera de Dios... ¡de decisión en decisión! Uno de mis dichos preferidos es:

Cada día es una vida pequeña, y toda tu vida es la
repetición de un solo día.

Esto significa que cada día tiene una importancia vital. Todos los días puedes decidir...

* vivir para Cristo
* vivir en un ambiente ordenado
* vivir y caminar en el Espíritu
* vivir tomando buenas decisiones

... o puedes decidir no hacerlo. Para ayudarte a tomar las mejores decisiones, al final de este capítulo incluí un resumen de los pasos para la toma de buenas decisiones. Cópialo, escanéalo o arráncalo y colócalo en algún lugar que veas a menudo. El cuadro «Siete pasos para la toma de buenas decisiones» es corto y conciso. Consúltalo al comenzar el día y cada vez que te enfrentes a decisiones. Coloca copias en tu espejo y dentro de la puerta de tu taquilla. Haz lo que sea para usarlo. ¿Y por qué no les das la lista a tus amigos?

Pon por obra los principios de Dios en tu vida. Pídele que te ayude a mantener tu compromiso de tomar buenas decisiones que crearán una vida mejor para ti y para los que te rodean. Piensa en las pautas mencionadas en este libro y en cómo puedes ponerlas en práctica... a partir de ahora. Experimenta lo que quiso decir el apóstol Pablo cuando declaró: «El vivir es Cristo» (Filipenses 1:21).

Al finalizar nuestra travesía juntas, quiero decirte, mi nueva y joven amiga, lo orgullosa que estoy porque leíste este libro y pusiste en práctica tu compromiso con Cristo. ¡Dios bendecirá tu fidelidad si confías en Él y lo sigues con todo tu corazón!

Elizabeth George

Siete pasos para la toma de buenas decisiones

* *Haz un alto.* No te apresures a tomar decisiones. «Los tontos se precipitan donde los ángeles temen pisar»[1].

* *Espera.* Evalúa tus posibilidades y tus opciones. Es mejor perder una oportunidad que meterte en algo que pueda dañarte o deshonrar a Dios.

* *Ora.* Habla con Dios. Dile que quieres hacer lo bueno y pide su sabiduría. ¡Ha prometido dártela!

* *Examina las Escrituras.* La Palabra de Dios es tu guía. Allí tienes todo lo que necesitas para ayudarte a tomar las mejores decisiones.

* *Pide consejo.* Pregúntale a alguien que ame a Dios si la decisión que estás a punto de tomar es la mejor.

* *Toma una decisión.* En fe y con la seguridad de que hiciste todo lo que está a tu alcance, toma la decisión.

* *Actúa de acuerdo con esa decisión.* Comprométete a tu sabia elección. Si más adelante surge nueva información, recuerda que es bueno volver a realizar estos pasos.

Notas

La toma de buenas decisiones
1. Neil S. Wilson, editor, *The Handbook of Bible Application*, Tyndale House Publishers, Inc., Wheaton, IL, 2000, pp. 86-87.
2. Elizabeth Prentiss, *Stepping Heavenward*, Calvary Press, Amityville, NY, 1993, p. 51.

Primera decisión: ¡Tienes que levantarte!
1. «Teen Esteem», citado en Roy B. Zuck, *The Speaker's Quote Book*, Kregel Publications, Grand Rapids, MI, 1997, p. 165.
2. Adaptado de Derek Kidner, *The Proverbs*, InterVarsity Press, Downers Grove, IL, 1973, pp. 42-43.
3. John Piper, *No desperdicie su vida*, Editorial Unilit, Miami, FL, 2005, contracubierta.

Segunda decisión: Sumérgete en la Palabra de Dios
1. Gwen Ellis y Sarah Hupp, *God's Words of Life for Teens*, Inspirio, Grand Rapids, MI 2000, p. 29.

Tercera decisión: Habla con Dios
1. Adaptado de Elizabeth George, *El llamado de una joven a la oración*, Editorial Unilit, Miami, FL, 2005, pp. 26-32.
2. Joe White y Jim Weidmann, editores generales, citando

a Nanci Hellmich, «A Teen Thing: Losing Sleep», *USA Today*, 28 de mayo, 2000 (USAToday.com), *Parent's Guide to the Spiritual Mentoring of Teens*, Tyndale House Publishers, Wheaton, IL, 2001, p. 447.

3. Adaptado de Jim George, *The Bare Bones Bible Handbook for Teens*, Harvest House Publishers, Eugene, OR, 2008, p. 79.

Cuarta decisión: La Regla de Oro comienza en casa

1. *Biblia del Diario Vivir*, Editorial Caribe, una división de Thomas Nelson, Nashville, TN, 1997, p. 1233.
2. Elizabeth George, *Una joven conforme al corazón de Dios*, Editorial Unilit, Miami, FL, 2003, p. 92.
3. Elizabeth Prentiss, *Stepping Heavenward*, Calvary Press, Amityville, NY, 1993, p. 70.

Quinta decisión: «¡No tengo nada que ponerme!»

1. Curtis Vaughan, editor general, *The Word—The Bible from 26 Translations*, citando a Charles B. Williams, *The New Testament: A Translation in the Language of the People*, Mathis Publishers, Inc., Gulfport, MS, 1993, p. 2273.
2. John MacArthur hijo, *Comentario MacArthur del Nuevo Testamento: Primera Timoteo*, Editorial Portavoz, Grand Rapids, MI, 2005, pp. 80-81 (del original en inglés).

Sexta decisión: ¿Qué tienes en la boca?

1. *Nota de la Editorial*: En la Batalla del Saliente, también conocida como Batalla de Ardenas o del Bulge, el triunfo aliado provocó un caos total en el ejército alemán. Estas operaciones militares se concentraron en las Ardenas (zona montañosa y arbolada) de Bélgica y Luxemburgo durante la Segunda Guerra Mundial.

Séptima decisión: ¿Qué sale de tu boca?

1. Gwen Ellis y Sarah Hupp, *God's Words of Life for Teens*, Zondervan Corp., Grand Rapids, MI, 2000, p. 103.
2. Gene A. Getz, *La medida de una mujer*, Editorial Unilit, Miami, FL, 2010, p. 32 (del original en inglés).

Octava decisión: Elige el camino al éxito

1. Adaptado de Sterling W. Sill, según apareció citado en Paul Lee Tan, *Encyclopedia of 7700 Illustrations*, BMH Books, Winona Lake, IN, 1979, pp. 723-24.

Décima decisión: Un noviazgo sin reproches

1. Adaptado de Elizabeth George, *Cultivating a Life of Character—Judges/Ruth, a Woman After God's Own Heart*® *Bible study*, Harvest House Publishers, Eugene, OR, 2002, p. 134.
2. Joe White y Jim Weidmann, editores generales, *Spiritual Mentoring of Teens*, Tyndale House Publishers, Wheaton, IL, 2001, p. 525.
3. *God's Words of Life for Teens*, The Zondervan Corp., Grand Rapids, MI, 2000, p. 33.

Undécima decisión: ¿Por qué una chica buena hace algo así?

1. Elizabeth George, «Mi oración por la pureza», © 2009.

Decimotercera decisión: Un nuevo comienzo

1. Alexander Pope, «Ensayo sobre la crítica», publicado en 1711.

Notas personales

Notas personales *

Notas personales

✳ *Notas personales* ✳

Notas personales *

Notas personales

Notas personales

Libros de Elizabeth George en español

✳ Ama a Dios con toda tu mente

✳ Cómo administrar la vida para mujeres ocupadas

✳ El caminar con Dios de una joven

✳ Encuentra la senda de Dios en medio de tus problemas

✳ El jardín de la gracia de Dios

✳ El llamado de la mujer a la oración

✳ El llamado de una joven a la oración

✳ El llamado supremo de la mujer

✳ Ester: Descubre como ser una mujer bella y fuerte

✳ Hermosa a los ojos de Dios

✳ María: Cultiva un corazón humilde

✳ Mujeres extraordinarias de la Biblia

✳ Palabras de aliento para una mujer conforme al corazón de Dios

❋ Promesas poderosas para toda mujer

❋ Proverbios 31: Descubre los tesoros de una mujer virtuosa

❋ Sabiduría de Dios para la vida de la mujer

❋ Sara: Camina en las promesas de Dios

- Sigue a Dios con todo tu corazón
- Una esposa conforme al corazón de Dios
- Una joven conforme al corazón de Dios
- Una madre conforme al corazón de Dios
- Una mujer conforme al corazón de Dios

Libros de Jim y Elizabeth George en español

- Promesas poderosas para toda pareja

Libros de Jim George en español

- Extraordinarias oraciones de la Biblia
- Guía bíblica esencial
- Guía de biografías bíblicas
- La influencia de un hombre de Dios
- Un esposo conforme al corazón de Dios
- Un hombre conforme al corazón de Dios
- Un joven conforme al corazón de Dios

Acerca de la Autora

Elizabeth George es una autora de éxitos de librería, con más de cuatro millones novecientos mil libros impresos. Es una oradora popular en actividades para mujeres cristianas. Su pasión es enseñar la Biblia de manera que cambie la vida de las mujeres.

Para más información sobre el ministerio de Elizabeth como oradora, inscribirte en su lista de correo o comprar sus libros, visita su sitio Web:

www.ElizabethGeorge.com

o llama al 1-800-542-4611

 o escribe a

Elizabeth George
PO Box 2879
Belfair, WA 98528